ちくま学芸文庫

歴史学研究法

今井登志喜

筑摩書房

序

私は昭和十年に岩波講座日本歴史に歴史学研究法なる一編を加えて置いた。それはもとより小篇の事とてドイツのゲッシェンの叢書のベルンハイムの歴史の研究法などに若干通う所のあるのを期したものであった。そしてこれをもととして他日修正する時ある事を期待していたのであるが、いま私の健康はその仕事に堪えなくなった。東京大学出版会はそれを遺憾とし、せめて講座の時の形のまま出版させて欲しいと希望して来た。私は前から講座の時のものに若干の正誤補正を加える必要を感じていたので、これを機として岩波書店の了解を得て是非加えたい正誤と補正を施す事にして、東京大学出版会の要求に従う事にした。本書が世に出るに至ったのは右の次第である。

本書に研究法上の術語等に講座の時からドイツ語を並記して置いたのは、研究法なるものがドロイゼンを初めとして、ドイツ人の工夫した所の多いものであり、その原語を添えて置く方が一層理解に便であろうと考えたからである。

岩波講座から本書となるについては、岩波書店の布川角左衛門さん、堀江鈴子さんの好意による所が大きかった事を附記してここに謝意を表して置きたいと思う。

今井登志喜

昭和二十四年四月

歴史学研究法【目次】

歴史学研究法

一　序　説――歴史学の方法論

十九世紀以来歴史学は著しい発達を遂げてまったく一の科学となった。それに伴って歴史の方法論（Methodologie）即ち歴史学研究法なるものが精密に考慮されるにいたった。もとより歴史の研究は古代からあり、すでに其時代から歴史の表現に関する書物が出ており、更に文芸復興期以後歴史学が漸《ようや》く進歩するにいたって歴史の方法論に関する著述も次第に現れたのであるが、それが十分に組み立てられるにいたったのは、十九世紀の後半以後である。而して歴史学研究法が成立して歴史学が発達したのでなく、かえって優れた業績を残したニーブール（Niebuhr）、ランケ（Ranke）以下多くの史家が実際に行った研究の方法を、統一的組織的に考察して組み立てられたのがいわゆる歴史学研究法である。即ち歴史学研究法の成立は歴史学の発達の原因でなく、むしろその結果であるといえるのである。

歴史学はその論理的性質において他の科学と異っているが、しかしひとしく経験科学の一であり、その真理認識の論理的方法は本質においてまったく他の経験科学と同様である。従って歴史研究法は本質において一般科学の研究法以外のものではない。しかしこれが特に考察され叙述される所以は歴史の研究が実際において複雑であり多岐であり、従って研究の方法に対する基礎的智識を全体的に把握してかかるのが初学者にとって頗《すこぶ》る便利であるからである。多くの先人の取った実際的方法は非常に多くの述作の中に含まれていて簡単にそれを把握し吟味する事はできない。研究法として組立てられたものはそれらを統一整理したものである故に、研究者の基礎的智識となって実際の研究を指導する性質をもつのである。しかしそれはいわば実際の研究の抽象化であり、従ってそれを十分に会得するのには、矢張り多くの研究者の実際の仕事について学び、また自己の経験鍛錬によらなければならない。
十九世紀以来歴史学の方法論に関する書物が多く世に現れ、その中には

G. G. Gervinus, Grundzüge der Historik. 1837.

J. Gustav Droysen, Grundriss der Historik. 1867.

Edward A. Freeman, The Methods of Historical Study. 1886.

の如き著名の歴史家の著述があり、殊にドロイゼンの書は極めて短いながら頗る注意すべきものであるが、しかしそれらは大体部分的断片的のものであった。それらを集成統一した全体的組織的な大著は

E. Bernheim, Lehrbuch der historischen Methode. 1889.

であり、歴史学研究法の書物として画期的なものとなった。ベルンハイムは新版において更にそれを増補し、またそれを要約して Einleitung in die Geschichtswissenschaft.（Sammlung Göschen）1905.（邦訳、歴史とは何ぞや、岩波書店）を出した。ベルンハイムの書についでフランスで

Ch. V. Langlois et Ch. Seignobos, Introduction aux études historiques. 1893.

が出たが、これは平易で実際的な点を特色とし、ベルンハイムの書と並称される。英国のベリー（G. G. Berry）はこの書の実際的な特色を推賞して Introduction to the Study of History の名で英訳している。これらの後研究法に関する書物の世に出たものが少くないがその中で、

A. Feder, Lehrbuch der historischen Methodik. 1921.

W. Bauer, Einführung in das Studium der Geschichte. 1921.

等は研究法全体を概説した便利な書である（いずれも新版がある）。

邦文の書物では坪井九馬三博士の「史学研究法」は大体ベルンハイムに基いた事が認められるが、まったくそれを消化し切って引例を多く国史に求めなんら飜訳的色彩を止めない好著である。また黒板勝美博士の「国史の研究」の総論は最も適切な国史の研究法といえる。その他大類伸博士の「国史研究法」「史学概論」、野々村戒三氏の「史学概論」等いずれもこの方面の便利な述作である。

歴史学の研究法は本質的には一般科学の研究であり、従ってその推理の形式も同様であり、ただ歴史学という特殊の形式の科学への応用に外ならぬ。しかし歴

史学がその認識の対象において、またその研究の基礎となる材料の広汎さにおいてその特殊性が甚だ著しいために、その研究法は事実において頗る独特の形をもっている。而してその部分的な点については各人の工夫乃至見解が決して同一でないのであるが、しかしその大体の構造については著しい共通点が認められる。それは大体ドロイゼンが提起しベルンハイムが拡張した輪廓に基くといえるのである。本書においては極めて限られた紙数を以て歴史の研究法の一通りの叙述が要求されている故に、多くの方法論の書物に扱われている最も主要な題目と認められるものについて、極めて概括的にその大体の要領を記述することとする。詳細は前述の如き文献を参照しまた多くの歴史学上の述作について咀嚼玩味することを希望する。

二　歴史学を補助する学科

学問は一の有機体の如きものであって、全体が内的な聯関をもっているといえるのである。古代ギリシヤにおいて哲学の語は一切の学問知識を包含した。これが学問の本来の理想であるべきである。しかし人間の能力に限りがあるからして、文化の進むに伴って学問の分業が起った。即ち研究の対象の相違によりまた認識の形式の方法的相違によって諸種の科学が成立した。しかし諸科学の分れは決して絶対的でなくむしろ便宜的のものであり、常に相補助し提携して進歩するものであることは言をまたない。

歴史学は人間の過去の社会的生活の変遷を研究する学問である。しかるに人間の社会的生活は極めて複雑なものであり、従ってその研究の基礎となる材料が無限に広く、またその考察する事項が頗る多方面であるために、歴史学は他の諸種の科学と非常に多くの関係をもつのである。

いま歴史学と他の科学との関係を考えてみる。まず他の科学を主体として考えれば、諸科学の中には歴史学の援助なくしては到底十分その職能を尽し得ないものがある。自然科学の中にさえ時に歴史学の援助を受けるものが認められるのであるが、殊《こと》にいわゆる精神科学、人文科学または社会科学等と命名される学問の方面にあっては、歴史学の援助にまつ所甚大なものが多い。社会学、経済学、政治学、法律学、人文地理学、民族学等は歴史学を離れてはまったく不完全なものとならざるを得ないであろう。

次に歴史学を主体として考えれば、歴史の取扱う項目の中にはその研究が各科学の予備知識の上に立脚しているものが少くない。例えば経済史は経済学を、法制史は法律学を、各自然科学史は各自然科学を、各種の技術史は各技術学を基礎知識として要求するのである。一見歴史学と縁遠いように見える科学であっても、それ自身の学問史の場合のほかに時として頗る重要な援助を歴史学に提供する事があり得る。例えば医学の如き、ある時の疫病がいかなる種類の伝染病であったか、また歴史上重要な或る人物の死が自然的でなく、従ってその間なんらかの注意に値する関係が伏在しなかったか等の疑問を解決するに当って非常に重要なものとなるのである。要するに歴史学の如き広汎な範囲に関係する性質の学問にあっては、一切の科学からなんらかの寄与を期待し得る可能性をもつといえるのである。かのフリーマンが歴史家は理想としては哲学、法律、財政、民族学、地理学、人類学、自然科学等のすべてを知っているべきであるといっているのは、歴史学に対する他の学問の関係をいい現したものと見る時に頗る意義がある。

多くの研究法に関する書物では、特に歴史学を補助する学科として、歴史学の補助学科（Auxiliary Sciences, Hilfswissenschaften）なるものを論じている。例えばベルンハイムは補助学科として言語学（Sprachenkunde, Philologie）、古書学（Schriftkunde, Paläographie）、古文書学（Urkundenlehre, Diplomatik）、印章学（Siegelkunde, Sphragistik）、古泉学（Münzkunde, Numismatik）、系譜学（Genealogie）、年代学（Chronologie）、地理学（Geographie）等を説明している。なおこの類のものとして多くの書物に挙げられるものは金石文学（Inschriftenkunde, Epigraphik）、紋章学（Wappenkunde, Heraldik）、考古学（Archäologie）、歴史地理学（Historische Geographie）等である。ベルンハイムは補助学科とは特に史料研究（Heuristik）に役立つものとし、いわば研究の日常の使用に必要でありそのために特に欠くべからざるものである（Gewissermassen zum täglichen Handgeb auch der Forschung nötig und daher noch unentbehrlicher sind.）（Lehrbuch. 5. u. 6. Aufl. 1908. S. 299）と説明している。

しかし上の説明は頗る不十分である。それはラングロアの指摘するようにいわゆる補助学科が常に一般的に歴史の研究に役立つのではない。研究する項目によって特にある種の補助学科は必要であるが、他の補助学科はまったく不必要であるのは常に見るところである。もとより古文書学の如く頗る多くの場合に必要な知識もあるが、紋章学、古泉学の如きその必要はむしろ稀な場合である。而し

である場合について必要であるという点においては、上に挙げた種類の学科のみに限らず他の多くの学科がまた同様である。従って日常の必要如何は補助学科と他の学科とを区別する標準にならない。フェーダーは補助学科を実質的補助学科(Materielle Hilfswissenschaften)と器械的補助学科(Instrumentale Hilfswissenschaften)に分ち、前者に哲学、人類学、社会学、政治学、統計学、法律学、言語学、地理学等をかぞえ、さきに列挙した多くの種類を後者にかぞえている。即ち第一の種類はそれぞれ独立的な科学であり、第二の種類はおもに史料の取扱いに必要な技術的知識である。歴史学の補助学科といえばいやしくも歴史の研究に役立つ一切の知識が、その役立つ時において補助学科であり、各研究項目には各自異った補助学科が予想され、研究者は各自の研究題目に従って、それぞれの補助学科的知識を必要とする。而して言語の知識、古文書学、古書学、印章学、紋章学、古泉学、金石文学、系譜学、年代学、考古学等の種類が慣習的に第一に補助学科としてかぞえられるのであるが、これらが皆必ずしももっとも多く補助学科となるのではない。ただこれらの知識は歴史学に対して特殊な共通の性質をもっている。それはこれらがまったく歴史研究に従属的な存在であるか、または歴史認識的要素を有し、いずれも技術的性質を多量にもち、而して直接歴史その物の研究よりもその材料たる史料と関係が深く、その対象の選択が多くは任意的便宜的である点である。即ちこれらは大多数独立的でなく、歴史学に従属的であるか、もしくは歴史学に交渉してはじめて十分の意義を発揮するものであり、歴史学に対して派生的断片的でその作業は歴史学的である。これらは本質的に歴史学の補助学的性質をもって存在するものである故に、その意味においてもっとも厳密の補助学科というべく、また一方いずれも史料の取り扱いに関して重要な補助的知識を提供するものである点から、適当には史料学の補助学科と呼ぶべきである。

本質的の狭義の補助学科即ち史料学の補助学科に対して、多くの科学は歴史学の広義の補助学科と見做しうるであろう。近代の歴史学の発達が直接間接に他の科学の進歩に負うところの大きい事は言を俟《ま》たない。顕微鏡によって遺物の真偽を鑑定しまたその性質を吟味する如き、青銅の如き合金の要素を分析して、文化の系統を論証する如き、天文学によって古代の事件の日時を断定する如き、地質学によって土地の変遷を推断する如き、昔時の歴史学の夢想も及ばなかったことである。多くの科学は間接にはその方法学によって歴史学に影響し、直接にはそれぞれの分野における学的成果において歴史学の発達に資し来り、またますます資しつつあるのである。殊にその点は歴史学の補助学科たりうる場合の多い学科において顕著である。例えば考古学の発達はエジプト学（Egyptologie）、アッシリヤ学（Assyriologie）等の特殊な研究対象を成立させ、それによって世界の古代史の面目を一新せしめた。わが国の古代史の如きも近時考古学的研究の進歩から決定的の影響を受けたことは否定できないであろう。歴史学の研究者はそれぞれの研究項目において、史料の利用に関しまたその研究その物に関し、基礎的知識として必要な補助学科に通暁《つうぎょう》すればするだけ、その研究に対する有力な武器をもつ事となるのである。これに反しある題目にとって特に必要な補助学科の用意を欠く研究は究極ついにディレッタンチズムの範囲を脱し得ないであろう。

三　史料学

前述の如く多くの歴史学研究法の書物は、もとより枝葉の点において相違しているがその根本的な構造において大体の一致がある。而してそれらにおいて方法論の最も主要な部分をなすものは㈠史料学（Quellenkunde, Heuristik）、㈡史料批判（Quellenkritik）、㈢綜合（Auffassung, Synthese）の三である。そのほかなお多くは表現（Darstellung）の項が立てられているが、これは方法論的には前者の如き重要なものではない。注意すべきは研究の作業に対する上の如き分類はただ論理的純理論的なものである事である。方法論とは歴史の証拠物件たる史料に立脚して正しい歴史認識に到達する方法の全体である。それは実際には一の有機体の如く全部が相関聯し、一の職能が終って次の職能が始まるという如き機械的関係のものではなく、ただ説明の便宜から論理的に分析し順序立てたにすぎないのである。いま順を追ってそれらの概要を述べる。

歴史学は経験科学であり、経験的な証拠物件を基礎として実証的に成立する学問である。歴史研究の立脚する証拠物件たるものが即ち史料（Quellen）である。史料学は史料即ちいやしくも歴史の証拠物件として役立つべきものを考察し、それを十分に蒐集する道を講じ、研究に便利なようにそれを分類し整理する職能である。歴史学はその対象が複雑な人間の社会であるため、その証拠として採用される史料もまた非常に広汎である。殊に近代歴史学が進歩し垂直的に深まりまた水平的に広まったために、史料の範囲もまたますます広汎を加えた。即ち歴史の研究が深まってその証拠として採用されるものが非常に多きを加え、また歴史の研究の範囲が広まってかつて専《もっぱ》ら政治的変遷、支配的階級の運命等のみを対象としたのが、文化的社会的事項、一般大衆の運命にも着眼するに至った故に、自然に史料たるものの範囲が拡大したのである。今日においては史料の範囲は全く無限であるといえるのである。

史料はそれに基いて歴史の対象たる人間社会の過去の状態ならびにその変遷を考察する根拠となるものである。従ってそれは過去から継続して存在するものである。しかるに時なるものは多くのものを亡ぼし失わせて行く性質をもつ。それ故に史料は何かの理由で時の亡滅作用から免がれ得たものであり、いわばむしろ偶然的存在である。史料の範囲は無限であるがその存在は決して完全ではない。一の事項の考察に際して必要にして十分なる史料の存在することはむしろ稀である。歴史学はその不完全な材料によって研究を進めなければならない。これは歴史的性質を帯びる他の科学においても同様である。例えば古生物学の如き化石の一つ、骨の断片等の乏しい材料から古い時代の生物の姿を復原するのである。こういう性質の学問においてはできるだけ豊富に証拠物件を探すことが研究を進める基礎である。新しい一資料の発見によって旧学説が覆える如き実例はしばしば見る所である。この種類の学問はいかに不完全でもすでに発見し得た資料に基いてそれによって立証される限りの真理を認識するほかないのである。資料を探す事が学問を進める大なる条件である。歴史学の史料はその種類が甚だ多く多方面に不秩序に存在している。何が史料であるべきかを考え、その所在を探し、それを蒐集し整理するのでなければ研究の進歩は決して得られない。史料学の意義はここにあるのである。近代の歴史学の進歩は第一には史料学の発達に負うということができるであろう。

史料の概念の中に含まれる総体の資料は非常に多くまた内容的に極めて複雑である。すべて文献口碑伝説のみならず、碑銘、遺物遺跡、風俗習慣等一般に過去の人間の著しい事実に証明を与え得るものは皆史料の中に入るのである。かく史料が複雑である故にそれらを整理しまたその性質を吟味し、その利用を好都合にするために史料の分類が試みられる。史料の分類はいろいろの標準から行われうる。例えば、時間に基く分類、場所に基く分類、史料の内容の性質による分類(政治史料、経済史料、宗教史料、芸術史料等)、史料の外的性質による分類(文献的史料、遺物遺跡等の物的史料、口碑伝説制度風俗習慣等の無形の史料等)である。これらの分類も時に実際上の必要があり、殊に史料を蒐集し整理保存する等の場合において実用的価値が認められるのであるが、方法論的にはこの種の常識的分類でなく、更に内的に鋭利な分類が研究の作業の必要に基いて立てられるのである。

ドロイゼンは歴史の材料（Historisches Material）を遺物（Überreste）、史料（Quellen）、紀念物（Denkmaler）の三つに分類した（Grundriss. 3. Aufl. 1882. 20ff）。この分類の原理は後の人々に採用され、ベルンハイムは史料を二つに大別して伝承または報告（Tradition, Berichte）と遺物（Überreste）とし、遺物を更に狭義の遺物たる残留物（Überbleibsel）と紀念物に二分している（Lehrbuch. 5. u. 6. Aufl. 1908. 55ff）。これはドロイゼンの史料と名づけたのを、伝承の名で明確にし、紀念物を広義の遺物の中に加えたのである。バウアーは遺物（Überreste）と証明（Zeugnis）に二分し、遺物の意味を狭くベルンハイムの残留物の意味に用い、ベルンハイムの紀念物と呼ぶ類のものは証明の中に加え、証明を更に統制証明（Kontrollierte Z.）と不統制証明（Unkontrollierte Z.）に分っており（Einführung. 2. Aufl. 1928. 328ff.）フェーダーは物的（沈黙）史料

(Sachliche, Stumme Q.) と陳述(意識的)史料(Redende, Wissende Q.)に分っているが(Lehrbuch. 3. Aufl. 1924. 87ff.)、これは大体バウアーの遺物と証明の区別に一致する。その他大体この原則による分類が多く採用されている。但しラングロア及びセーニョボスは物的史料(documents matériels)と文字的史料(documents écrits)に二分している(Introduction. 1898. 45ff.)。この分け方では史料の全部を包含せず不完全であるが、なお上の分類の原理に通うものがある。而してこの分類の原理をフェーダーは史料の認識価値にまたは史料と歴史的対象との間の結合関係に基く分類と見做し、物的史料は史料と歴史的対象とがただ本体論的整頓(Ontologische Ordnung)において結合し、陳述史料は史料と歴史的対象とが論理的整頓(Logische Ordnung)において結合するものであると説明している(Lehrbuch 3. Aufl. 1924. 87ff.)。これは頗る難解な表現であるが、要するに前者は史料自体が実質的に歴史的対象を表現しており、後者は史料が歴史的対象を直接に発現していることを意味するのである。この分類の問題は史料の価値の問題またその扱い方の問題に関係をもつ故に、更にその性質を明瞭にする必要がある。そのため便宜上まずベルンハイムの分類を吟味して見ることとする。

ベルンハイムはある事柄の直接の結果として自然に残留しているものを遺物と呼び、ある事柄を人間の認識が一度把握し、人に伝えるためになんらかの形で表現しているものを伝承または報告と呼んでいる。而して遺物の第一種たる残留物はまったく単純な狭義の遺物で、古い骸骨、先史時代の発掘物、言語、風俗習慣、宗教的儀式、法律制度、人間の精神的肉体的熟練の産物たる技術・学問・芸術・家具・武器・貨幣・建物等の一切、法廷・議会・官庁等の公文書、書簡・新聞・統計書等の事務的性質の文書等がそれであり、第二種たる紀念物はその事柄に関心をもつ人の記憶のためにそれを保存する意志がその根柢によこたわるものとし、ある種の公文書、墓碑等の碑文、紀念建物等がそれであるとする。また伝承には㈠歴史画地図等の形像的伝承、㈡物語、伝説、逸話、歴史的歌謡等の口頭的伝承、㈢歴史的碑文、年表、系図、年代記、覚書、伝記、各種の歴史記述等の文献的伝承があるとする。而してベルンハイムはこの類別をもって決して厳格に絶対的でなくある程度迄流動的であるとし、例えばある事例を記述する歴史書はそれとしては伝承であるが、それを文学的作物として見れば遺物であり、また絵画は芸術的作物として見れば遺物であるが、内容が歴史画であれば伝承の範囲に入って来ると説明している。

この分類はベルンハイム自身すでに絶対的でなく相対的である事を認めているとおり、実際において曖昧であり不明である。さればウォルフ（G. Wolf）はこの習慣的分類は便宜的のものであって、よし初学者には非常に有益であるとはいえ、個々の史料がいずれに属するかについて、当然の疑を起し易い事を指摘している（Einführung in des Studi um der neueren Geschichte 1910. 17ff.）。バウアーもまた遺物と伝承の類別は個々の場合各史料の批判的評価に際して意義があるが、史料の一般的分類及び整理には用いられない。書簡の如き、公文書の如き、一般的には遺物に属するが、常に単純に遺物であるとは限らないのである。要するにこの分類は一史料の研究法的評価の尺度を提供するが、史料の一般的分類の標準にはならないと主張している（Einführung. 2. Aufl. 1928. 160-161）。

史料を遺物と伝承乃至報告、遺物と証明、物的史料と陳述史料等にわかつ分ち方はそれらの言葉の意味する範囲が必ずしも一致せず、またその分ち方に若干明瞭の程度の相違があるが、要するに同じ分類の原理に基き、従ってある種類の史料を徹底的にその一方に決定し得ない点を共通にしている。これは何故であるか、その分類の原理が不合理であるためであるか、ここに更にその分類の原理を吟味してみる。フェーダーの表現を用いれば史料をそれと歴史的対象とが本体的整頓において結合する場合と、それと歴史的対象とが論理的整頓において結合する場合とに分類するのである。この言葉は難解であってもその意味するところは明瞭であり、分類の原理として合理的である。これが何故に史料の実際の分類に当って困難を生ずるのであるか、他なし、それは史料の史料として使用される性質と、その物の全体的実際的性質とを混同するからである。

個々の研究において一の材料が史料として使用されるのは、その物の全体的性質の中の一部である。ここに書物を例にとってみる。書物はある紙にある内容をある言語及び文字で筆記されまたは印刷され、ある形式に製本されたものであ
る。それが書物の全体的性質である。而して一の歴史的研究に於てその書物の内

容が史料として使用されるとする。その時史料であるものはただその内容だけであり、決して実際的存在としての書物その物でなく、即ち紙、言語、文字、印刷術、製本の技術等は史料ではない。然るにまた他の種類の歴史的研究においては、それらの方面がもとより史料として使用される。即ち一の実際的存在たる書物は一の場合にはその内容が史料であり、他の場合にはその書物の属性の他のある物が史料である。内容が史料となる時それは研究の対象と論理的整頓において結合する故に報告証明乃至陳述的史料である。然るに紙、言葉、文字、製本技術等が史料とされる時は、それらは研究の対象とただ本体論的整頓において結合するものである故に遺物乃至物的史料である。

これは極めて解り易い例を挙げたのであるが、この関係が史料の分類の場合において注意されなければならない。実際史料として使用されるものの史料的性質は必ずしも単一でない。ある時は陳述的にある時は遺物的に用いられる。それ故に書簡、公文書、碑銘、という如き外形的な性質によって区別されている事物に、史料として使用される要素の方法的分類を簡単に当てはめる事に無理があるのである。遺物と陳述という如き分類は史料の実物をわける原理でなく、適切には史料のもつ性質、それに基くその取扱いの態度をわける原理である。もとよりある史料はただ単に遺物たるのみの性質のものがある。多くの考古学的遺物、言語、風俗、習慣、法律、制度等の如きがそれである。しかし陳述的史料とされるものは兼ねていずれも遺物たる性質をもつといえるのである。

古く史学雑誌に「太平記は史学に益なし」という論文が出た事がある。これはこの問題に関係がある。太平記が史学に益なしというはその記述している事実に誤謬が多く到底信用し難いというのである。しかしそれはその記事を事実の報告として見た即ちただ陳述的史料として見た場合についていっているのみである。もしこの書の文章をこの時代の文学的遺物として見、またその中に出てくる物質的精神的社会的等の生活の素材的事項を着眼するならば、その中から無限に史料的要素を探し出すことができるであろう。即ち太平記は十分に遺物的史料として使用できるのである。その点源氏物語を史料として平安朝の研究に利用すると同様である。即ち太平記なる歴史的記録をただ陳述的史料と見る事が不合理である。所詮個々の史料を実物そのままで遺物または伝承等と分類できないのである。それは具体的に史料の実物を分類するものでなく、方法的に史料の性質を分類するものなのである。而してかく見る時この分類に伴う困難は解消するのである。一の史料は遺物的に用いられる限りにおいて遺物であり、陳述的に用いられる限りにおいて陳述である。遺物たり陳述たるは決してそのものの固有の性質ではない。

遺物は沈黙しているものであり、歴史的対象に対して何等の報告陳述をなさない。研究者は悟性によってその中に含まれている歴史的対象を把み出さなければならない。しかし史料としては絶対性完全性をもっている。ただこれが正しく解釈され使用されることが要求される。これに反し陳述は人の悟性によって把握構成され、言語文字等に表現されたものであり、主観的要素をもち誤謬、または虚構による変形の存在が予想され、その証拠力は不完全的相対的である。ラングロア及びセーニョボスは史料の提供するものを概念と陳述とに区別し、前者はある事実を史料そのものが明示しているところのものであり、後者は史料の陳述しているところのものであり、而して後者は事実を十分完全に立証するものでないとしている。この区分は遺物と報告乃至陳述とが提供するものの差別であるといえるのである。

ベルンハイムは史学入門（Einführung）の方においては、伝承乃至報告と遺物との外に更に直接の観察及び思出（Unmittelbare Beobachtung u. Erinnerung）の種類を設けている。これに対しフェーダーは直接の知覚は本格的の史料ではない。その故は史料は万人が認識し得べきものであるのに、直接の知覚は事件に対しただ極めて少数の人のみの認識方法となるのみであり、またそれが表現によって他人に伝えられて始めて本式の史料を構成するに至るからであるとしている（Lehrbuch. 3. Aufl. 1924. 85ff.）。直接の観察乃至思出はいわゆる一般の史料と性質を異にし、厳密なる意味では史料といい得ないであろう。しかし歴史の研究者がたまたまその研究の対象たる事項に参加し、もしくはそれにある関係をもっている時、その体験を以て史料を補いその事項を記述する事がある。その時その研究者の体験そのものはいわゆる史料と同じ働きをなすのである。即ち歴史認識の基礎的素材として役立っているのである。従って極めて特殊のものながらこれを一種の史料とするも差支えないであろう。然らばこれはまったく別個の性質のものとすべきであるか。

まず直接の観察及び思出という表現について考えて見る。これはこの場合決して当を得た表現ではない。何となれば直接の観察その物は決して史料とならず、ただ思出だけが史料となるのである。直接の観察はそれが感覚から消え失せる瞬間に永久になくなるのである。たとえ事件の直後にあってもその事の認識はすでに記憶によって再構成されたものである。即ちただ思出に外ならないのである。ただ思出に時間の遅速の差があるのみである。而して思出なるものはかつて自己の悟性を通して認識した事柄を再構成したものである。而して思出なるものの史料的形式とその対象とは論理的整頓において結合している。それ故にこれは本質的には一般の陳述的史料と同じ性質のものであり、その特殊の変態と見るべきものであり、それが言語乃至文字に表現されれば直ちに一般の陳述的報告的史料となるのである。従って思出は史料的性質において見る時、一般陳述的史料のもつ主観性不完全性をもつのである。これを遺物及び報告と並立せしめる分類は史料の方法的性質による分類の原理に、その外形的性質による分類を交えたこととなり、決して当を得たものといいえないであろう。

方法的性質によって史料を分類する事は、実際において個々の史料の性質を吟味し、それを鋭く利用することに意義があるが、具象的な史料の実物を一般的に分類する上に困難の存することは上述の通りである。しかしその分類の原理をある程度迄実物の分類に加味する事は不可能ではない。諸家の試みている分類は即ちそれであり、それは史料を具体的に収集し整理する上に実際的に役立つのである。もとより史料の収集整理保存は多くの物理的約束の制限を受ける故に、大いに史料の外形的性質に支配されるを免れないが、その際にもなお方法的分類の応用される余地はあるべきである。図書館、博物館、美術館、古文書館等は歴史学の立場からいえば史料の整理保存の場所であるが、それらの中に方法的分類の精神を取入れる範囲があるであろう。

近代の歴史学の発達は史料の新分野を開拓して、それを組織的に収集する事がその基礎であった。独仏英三国を例に取れば、特に史料として最も重要である古文書古記録だけについて見ても、有名なドイツ歴史紀念（Monumenta Germaniae historica）が一八二六年に出始め、ドイツの国史研究に大なる貢献をなし、フランスの史料集Collection de documents inédits sur l'histoire de France, publiée, par les soins du ministre de l'instruction publiqueが一八三五年以来、イギリスの史料集Chronicles and memorials of Great Britain and Ireland during the Middle Ages即ちいわゆるRolls Seriesが一八五八年以来出たほか、種々の種類の史料の大規模の収集整理出版があった。その外の諸国でもそれぞれ自国の史料の収集出版に努力している。古代歴史はCorpus inscriptionum Graecarum, Corpus inscriptionum Latinarum等ギリシヤ、ローマの史料として新しく開拓された金石文収集の事業が起され、古代史研究の大なる基礎となった。わが国でも大日本史料編纂の着手が国史の研究に新生面を開いた事は顕著な事実である。しかして現在わが国において歴史学のために頗る望ましい事は古文書館及び充実した歴史博物館の設立である。

四　史料批判

史料学は与えられたテーマに対し史料をできる限り十分に収集する方法を示すに対し、史料批判はその収集された多くの史料がはたして証拠物件として役立つや否や、またもし役立つとするもはたしていかなる程度に役立つかを考察することである。これは大体前から用いられていた考証という語に当るが、Kritikという鋭い原語を生かしてこの訳語を用いることとする。

ベルンハイムもラングロア及びセーニョボスと共に方法的根拠から批判を分って内的批判及び外的批判とする。それはその以後の著者にも踏襲されている。もっともそれらの職能の包含する範囲は必ずしも一致しない。例えばベルンハイムは史料の解釈（Interpretation）を批判の後に置くに反し、ラングロア、セーニョボスは解釈を内的批判の劈頭に置き、フェーダーは新版においてこれを両批判の中間に独立させている。もとより史料の解釈は実際的にはその収集の時から行われ、批判の作業はこれを伴わずして不可能であり、更に綜合においてその十分の解釈が要求される。これをどこに置くかは必ずしも拘泥を要しないであろう。

(一)外的批判

外的批判は史料の外的性質乃至価値を吟味する職能であって、その主要のものは次の吟味である。

(1)真純性の批判（Kritik der Echtheit）

史料として提供されるものは屢々全部もしくは一部が真実のものでなく、あるいは又従来承認されていたものでないことがある。すなわち研究法で㈠偽作（Fälschung）及び㈡錯誤（Irrtum）又は誤認（Verkennung）と呼ばれるものの多い事を注意しなければならない。

偽作（贋造）のできる動機はいろいろかぞえられる。即ち好古癖、好奇心、愛郷心、虚栄心等に基く動機、宗教的動機等が挙げられるが、就中《なかんずく》利益殊に商業的利益の目的を動機としたものが最も多いのである。しかしてこれらの動機に基く偽作は殆ど凡ての種類の史料に行き亘っている。いまその特に著しいものを挙げれば

遺蹟　各地の旧蹟と称するものの中に後世の偽作が頗る多い。特に著しいのは宗教に関係ある霊蹟である。パレスチナ地方の聖地（Holy places）といわれるものが、近代の研究家によってその根拠のない事が示されている如きその一例である。

芸術品、工芸品　好古癖および芸術的愛玩の目的物となるために、商業的利益を狙って最も多く偽作の行われる種類である。

古文書　これもまた偽作の頗る多いものである。即ち西洋の方では領地等の権利を安固にするため、中世時代に多く偽文書が作られた。そのほか自己の家格をよくするための虚栄心から来る偽文書がある。わが国でも戦の感状などの種類が偽造されている。なお西洋の方では教会に偽文書が多くある。ローマ法皇にかんする著名のプセウド・イシドレス（Pseudo-Isidores）というものの如き、偽文書としてよく挙げられるものである。

系図　東西共古くから贋系図が多数ある。これはそれによって家格を誇ろうとする心理から来るのであるが、また古い頃の諸侯武士等は自家に由緒をつける政治上の必要もあった。英国中世の記録として名高いアングロサクソン年代記（Anglo-Saxon Chronicle）を見れば、英国の所謂七王国（Heptarchy）の諸王家は悉《ことごと》くウォーダン（Wodan）の神の後裔になっており、甚しいのはウォーダンから更にアダム、イヴまで溯っているのがある。わが国の系図は多数いわゆる源《げん》平藤橘《ぺいとうきつ》であり偽作が過半であることはいう迄もない。

逸話、噂話　これらは本来無責任な捏造が甚だ多い性質のものである。個人の逸話といわれるものの如き、真実を伝えている場合は寧ろ少い。これらと同じ様な口伝的性質をもっている伝説はさらに芸術的要素が多く、小説であって容易に信用し難い。

その他金石文の偽物があり、偽書偽記録があり、偽作の種類は頗る夥《おびただ》しいのである。

つぎに錯誤または誤認は偽作の如く故意に捏造されたのでなく、何かの理由から誤謬が起り、その史料が異った時代または人物等に附会され、或はそれに誤った説明が加えられ、それが踏襲されて史料の事実性（Tätsachlichkeit）が害《そこな》われているものである。このことの起る経路には次の如き種類が挙げられる。即ち軽信によって起ったもの、不注意から来たもの、独断によって誤られたもの、批判的誤りから生じたもの等である。遺物的史料はそれ自身沈黙しているために、その性質が誤って説明され易く、誤認に陥る機会が甚だ多い。また神話乃至ザーゲ（Sage）の性質をもつ物語が歴史事実と誤られて誤認が起っている事は諸国の古代史において多く見る所である。

偽作或は錯誤が全部的でなく部分的である時がいわゆる攙入《ざんにゅう》（Interpolation, Einschaltung）である。即ち全体としては真純であるが一部分不純物の混入している場合である。多くの史料殊に文書記録等に於て偽作の意志から攙入の行われている場合は少くない。それ等は矢張り全体的な偽作と同じ様な動機から来るのである。しかし攙入は最も多くは誤謬から起るのである。建物彫刻等の遺物に於て後世改築されて或る部分だけ新しくなっているものが、他のもとからの部分と同時代のものと誤られている如き場合である。殊に書物には原本の残ることは殆ど少く、普通に幾度か転写を経たものである。その転写の際に攙入が起る。それは初め誰かが附加を加えたり、註釈として書入れたものが転写によって混入したり、原文の難解な部分を平易に書き改めたりする等によって生ずるのである。

真純性の批判はこの偽作或は錯誤の有無を吟味することである。偽作に対してベルンハイムは次の吟味の個条を挙げているが、これは適当なものとされるであろう。

㈠　その史料の形式が他の正しい史料の形式に符合するや。古文書において紙、墨色、書風、筆意、文章的形式、言葉、印章等を吟味する如きがこれである。遺物の偽作の如き多く専らこの吟味によるのである。

㈡　その史料の内容が他の正しい史料と符合して矛盾しないか。内藤清成の家臣某の著といわれる天正日記の記事が家忠日記に符合しないことを以てその偽書たる一理由とされる如きこれである（田中義成『豊臣時代史』参照）。

㈢　その史料の形式及び内容がその関係する事で発展の聯絡及び性質に適合し、蓋然性（Probabilität）を有するや。

㈣　その史料自身になんら作為の痕跡が認められないか。しかしその作為の痕跡の吟味として次のことが挙げられている。

(1)　満足の説明がなくて遅れて世に出た如きその史料の発見等に珍妙で不信なる点はないか。先の天正日記が近代になって出て来た如きこの条項に関係する。

(2)　その作者の見る筈のないまたは当時存在しなかった他の史料の模倣または利用が証明されないか。

(3) 古めかしく見せる細工から来たその時代の様式に合わぬ時代錯誤はないか。

(4) その史料そのものの性質および目的にはない種類の、偽作の動機から来たと見られる傾向はないか(Einführung. 2. Aufl. 1928. 371-372)。

このほかなお偽作がその内容の種本にした史料との比較によって明かにその偽作たるを暴露する如き(例、田中義成『北條氏康の武蔵野紀行の真偽に就いて』歴史地理第一巻第四号)偽作の発見の手掛りとなる種々の場合があるであろう。

錯誤についても上の原則のある物を適用し得るであろう。

攙入の吟味の基礎は精細な比較研究である。特に記録に於ける攙入の疑ある場合について、ベルンハイムは吟味の方法として次の数項をあげている。

(一) 手筆の原本が存在する時は、そのなかに他の部分の文字と比較し、後に他人が前の字を抹削してその上に、または他の方法で加筆の行われた事が認められるかを見る。

(二) 写本のみの時はそのうちなおまだ攙入の行われていない古い良い写本を求め

て見る。

㈢　上の事の不可能の時攙入の疑のある部分の言葉や文体が他の部分のそれと比較して異っていないか、他の部分との連絡に無理がないか、他の部分の自然的の意味及び構造を妨げ不自然に見えないかを調べる。

㈣　内容を比較してその個所が他の部分と調和して矛盾しないか、それと異質的傾向が見えないか、攙入の誘因が見出されないかを調べる。

攙入に近似したものに変形（Veränderung）がある。攙入もこの一種といえるのであるが、史料が時間を経過する間にその原形を損じ、種々の変化を来しているることを指すのである。フェーダーはこの吟味をさして原形の批判（Kritik der Urform）と呼んでいる。建造物美術品等の有形の遺物は必然に時の破壊作用によって変形を来す。口碑伝説の如きも長い間には変形する。殊に書物は何回かの転写の際の誤写、脱漏、省略、修正、種々の攙入により、また錯簡の起る事等によって変形が多く起るのである。原形の批判は出来る限り変形を除去してその原形に復することである。書物等の原形を復するために取る最も普通の手段は比較研究である。即ち異本を多く集めて比較校合し、ことに最も古い写本を求めそれによって変形を正すのである。更科日記の古い写本が近時発見され、それによって従来の流布本に錯簡のあったことが明瞭になった如きは、この適例である。

(2) 来歴批判 (Herkunftskritik)

来歴とはその史料の作られた時、場所及び人間の関係をさし、これを吟味することが来歴批判である。近時の史料には書物文書はもとより建築物、器物等さえそれらが明言されていて、多くはこの批判の必要がない。古いものにも公私の古文書にはこれらの記されている事も少くない。しかし一方に来歴の不明である史料は非常に多いのである。古い時代には文学的作品等にその作者及び著作の日時を記してないことが多い。わが国の物語類等この類である。また公私の記録文書殊に原本がなく写しのみの場合、例えば人々の書簡集の様な類のものにはこれ等が欠けまたは不十分なことが多くある。考古学的遺物の如きは大多数来歴が不明である。

日時を明かにする事はつぎの意味に於て重要である。即ち第一に史料を事件の推移の順序に配列して始めてその事の経過を知ることができるのである。文化史的研究においても史料の時間的関係が基礎となって文化の各方面の発展が辿れるのである。第二に史料の証拠価値はそれと歴史的対象との間の時間的距離に関係があり、その関係が不明であってはその価値を判定すべき十分な標準を欠くことになる。史料の場所的関係についてもこれとほぼ同様の事がいえるのである。また陳述的史料についてその作者の地位、性格、職業、系統等が明かにされれば、それが、その史料の可信性等を判断する根拠となって、その陳述を適当に利用するに都合よくなる。名が不明でもせめていかなる人々であるかを知ることが重要である。

史料の日時を考察するには外的及び内的の両種の吟味を行うのである。

外的の吟味とは

(一) ある日時の明かな史料の事がその史料の中に出て来ることによる。

(二) ある日時の明かな史料の中にその史料の事が出て来ることによる。

㈢　共在する他の時間的関係の知られている史料から判断する。考古学的遺物等に於てこの方法の適用の範囲は頗る広い。

㈣　時として技術的関係からの判断による。たとえば手紙に日附がなくともその到着した時がわかっている場合の如きそれである。

㈤　それが時間の知られている史料の断片であることの考証による。等をさすのである。

内的の吟味とは

㈠　比較研究を行う。すでに日時の明かにされている他の史料と外形特徴例えば様式材料技術等を比較するのである。考古学的遺物の時の決定は多くこれが適用される。

㈡　文献的な史料等では特に言葉、スタイル等がおおいに標準となる。文語体でも時々何か時代を暴露する要素が含まれている。

㈢　記録等の場合その記事の内容に手掛りを求め、それによって判断を加える。もとより多くの場合非常に精密な時間的関係を決定することは不可能である。しかし大体前後の限度を立てる。即ち何時より以後（Terminus post quem）および何時より以前（Terminus ante quem）を明かにすることができるだけでも、その史料の利用に大に役立つのである。

史料の製作された場所の吟味は次のような条項が着眼される。

㈠　発見の場所。古く交通不便運搬の困難であった時代のものは、発見の場所がただちに製作の場所を示していることが多い。これに反しまたその物が移動している場合も少くない。芸術品等は頗る移動する性質をもっている。ギリシヤの芸術品の如きは早くからすでに多数が他の地方に移されていた。しかしとにかく発見の場所はその吟味の一標準である。

㈡　外的形式。即ちその様式、材料、技術等の比較研究がその決定に役立つことは日時の吟味の場合と同様である。

㈢　言葉及びスタイル。これも日時の場合と同様である。ただし文語体の時は方言の差が出ないことが多いので困難である。

㈣　内容。文献的史料では記事の内容が往々その製作の場所を示している。たとえば特にある地方の記事が詳細であった為めに、その書かれた所が知られるごときその適例である。

作者の吟味の方法としてはつぎのような条項があげられる。

一、外的の吟味。(1)同じ作者の他の史料の中に明らかにその史料を記していることがある。(2)同時代の他の史料又は後世の史料の中にその史料の作者が出ていることがある。(3)作者の符徴、頭文字、又は捧呈の人名等によってその作者が知られることがある等である。

二、内的の吟味。(1)原物があれば書風を見れば往々その作者が推定される。ただこの適用の範囲ははなはだ狭い。(2)言葉およびスタイルによって作者を推定する。(3)その記事の内容に手掛りを求める。その叙述の中から作者の人物、地位、系統、利害関係、年齢その他の生活関係を知り得る事があり、すくなくともこれらの一部分が断定出来ることが少くない。例えば貴族か僧侶か商人か等が知られるのである。またそのものが多くの人の合作である時、その形式内容の不同一な事等が根拠となって発見の手掛りを提供した例は多く挙げられる（以上来歴批判の項は大体フェーダーの記事を採用した。(Lehrbuch))。

(3) 本原性の批判 (Kritik der Ursprünglichkeit)

史料の利用について特に注意すべきは本原 (ursprüngliche, originelle) 史料と借用 (abgeleitete) 史料の差別である。これは古くは甚だ閑却されていた事項であるが、近時に至って史料の本原性及びそれに関聯する従属性 (Abhängigkeit) の批判が史料批判の主題目となった。二つ以上の史料の間に時として親近 (verwandt) の関係が存在し、実は一の種である事がある。史料が本原的独創的のものであるか、または借用的模倣的のものであるかの吟味が本原性従属性の批判である。

この批判の方法が所謂史料解剖 (Quellenanalyse, Quellenscheidung) である。史料解剖とは各史料の要素を細かく分解し、一見親近の疑ある史料と比較し、これによってそれらの本原性従属性を確かめる事である。しかして史料解剖の立脚する理論的根拠としてフェーダーの挙げているのはつぎの条項である。

㈠　一の出来事について各人の観察把握の範囲および内容はすべての個々の事についてとくに偶然的の事について皆一致するということはない。

㈡　各人が同じ一の事象を陳述する時その表現の形は同一ではない。

㈢　すでに他人によって言語的に発表された表象内容に一致する陳述は、少くともその附帯事項の一致により、また屢々《しばしば》誤解のある点によりその従属性を暴露する。

㈣　二個以上の報告がおなじ内容をおなじ形式で陳述する時、それらの史料には親近関係が存在する。二つの史料がその形式も内容も著しく一致している時、それらに親近関係のある事はもとより疑をいれない。形式が異っても内容がよく一致しているので親近関係を証明することがある。形式は一致しているが内容の一致の疑わしい時偶然的の重要でない個々事項が一致し、親近関係の示されることがある。もし甲と乙の二史料に親近関係が存在し、一方が他方のもとであるべき時は甲が乙から出たか、乙が甲から出たか、の二の可能性があるのみである。その際いずれを本原的であるとすべきであるか。それについては

(一) 両者の時間の前後関係がわかるかを吟味する。それがわかれば簡単である。
(二) 一方にだけ適合する性質を他方がただ盲目的に踏襲した形跡がないかを見る。
(三) どちらかに誤解不都合が起っていることが認められないかを調べる。
(四) どちらかに内容的附加または削除の痕跡がないかを吟味する。
(五) 一方が他方の表現形式を改めまたは内容を整頓改正したなどの点がないかを注意する。

などによって判断するのである。これが本原性の批判である。この種の批判のいい例としてたとえば平家物語源平盛衰記の関係の考証が挙げられるであろう(津田左右吉『平家物語と盛衰記との関係について』史学雑誌第二十六編第七号参照)。

親近関係は実際はすこぶる複雑の形をもってあらわれ、甲乙の史料に直接の親近がなく、その関係が間接であることがある。その時は三つの史料の親近関係の場合となる。三つの史料甲乙丙についていえば、甲がもととなる時、(1)甲―乙―丙、(2)甲―丙―乙、(3)乙と丙とが共に甲から出ている三つの場合が起って来る。

乙がもととなりまた丙がもととなる時についても同様である。親近の史料の数が多くなる程この関係は複雑になり、その吟味が困難を加えるのである。ときには原物が失われて借用的史料のみが残っていることがある。その場合現存の多くの史料に比較研究をくわえて、ある程度迄原物の形を復原することができるのである。

親近関係は多くの史料にわたって存在する。西洋では特に中世時代作者が他の材料を著しく借用したことが多く、時としては一節をそのまま借用することもあった。わが国でも鎌倉から室町の時代にかけて他人の書物の改作の風習があった。多くの書物の異本ないし類本はかくして生じたのである。記録のみでなく法律制度、風俗習慣、伝説口碑の如きも一個所より他方につたわり、親近関係をたどり得ることがある。この例としてかのバビロニヤのハムラビ王の法典乃至楔形文字で刻されている神話と、旧約聖書のモーゼの法律および創世記の伝説との間にある程度の親近が認められる如きがあげられる。かくて史料の本原性の批判はそのまま文化史の研究にも応用の範囲を見出すのである。

親近関係にある史料に於て価値のあるのはただ本原性をもつ史料のみである。その他はただその借用である故にいかに多数であってもそれは決して証拠力をもつものではない。ただその本原の史料が既に失われて存在しない時、それを借用した比較的原形に近いものが原物を反映するものとして重んぜられるのである。先に掲げた英国のアングロサクソン年代記では、現存している中世時代の稿本が七種あり、A、B、C、D、E、F、Gと命名されているが、それらについてその攙入等の批判、来歴の批判等に加えてその本原性の関係が頗る精密に考証され、この種の批判の一典型をなしている（E. E. C. Gomme, Anglo-Saxon Chronicle）。

（二）内的批判

(1) 可信性の批判（Kritik der Glaubwürdigkeit）

外的批判によって史料の外的性質ないし価値、即ち真実性、来歴、本原性が決定されるのであるが、いまだその可信性（Glaubwürdigkeit）、信憑性（Zuverlässigkeit）は決定されない。即ちそれがどの程度に信ず可きか、どの程度の証拠力をもつかは不明である。もとより史料を遺物として扱う時、それは偽作または錯誤でなければ十分の可信性をもつ。それ故遺物は可信性の批判の対象とならない。しかし史料が陳述である場合に於てはその可信性は区々《まちまち》である。実際同一事実に関する直接の証人の陳述が矛盾している事は少くない。その場合一方が正しいとすれば当然他方は誤謬もしくは虚偽でなければならない。更にまた双方が誤謬または虚偽である事もあり得るのである。この可信性の吟味が内的批判の任務である。

この可信性の吟味について陳述ないし証言は次の二つの点において評価されなければならない。即ち一は論理的評価で証人は真理を述べ得たりしやであり、他は倫理的評価で証人は真理を述べる意志ありしやである。史料の可信性は論理的にまたは倫理的に真実の歪曲される事によって損われる。即ち錯誤（Irrtum）と虚偽（Fälschung）が原因となるのである。したがって史料の可信性の考察には、錯誤と虚偽がいかにして起るかを吟味する必要がある。

錯誤はいかにして起るかそれは次の理由が数えられる。

一、感覚の錯誤。人が事件を認識する時、それは多くの感覚的認知が基礎となり、それが統一されるのである。それ故にまず感覚的認知に錯誤があってはならない。それにはその人間が生理的に心理的に病的でない事、また対象に対する距離が正当である事、妨害のない事、十分注意力が働いている事等の条件が整わなければならない。これ等の条件に欠ける時当然錯誤が起るのである。

二、綜合の錯誤。一の事件は細かい個々の感覚的事実の綜合である。人の悟性がその個々の要素を論理的心理的に結合せしめるのである。その綜合において常に前の経験ないし知識に基いて類推が働く。この際主観的要素が伴う事は免れない。ことに先入見、感情等が働く時判断を誤り錯誤を起すこととなる。

三、再現の錯誤。人が事件を陳述するには過去に認識した所を記憶によって再現しなければならない。しかるに完全の記憶はまったく例外である。それ故に前後の誤り、時と所との誤りなどが常に起り易い。覚書自叙伝等に於て誤謬のある事は屢々見る例である。ことに時間を距てる程その記憶に誤りを生じ、思い違い、脱漏が多くなるのである。これには感情的要素も働き、経験的事実に誇大美化等が起って来る。

四、表現の錯誤。陳述は言語的形式に於て表現される。しかるに言語には不完全性があり、内容が常に適切に表現されるとは限らず、そのためそこに錯誤が入り、陳述する真の内容がそのまま他人に理解されないことが起るのである。

各人の観察した事実の直接の陳述に於て錯誤の起る一般的基礎は以上の如くである。かのサー・ウォルター・ロリー（Sir Walter Raleigh）が、みずから窓から目撃した街の出来事について、他の目撃者によって語られたことと、自分の観察と本質的に異っていたので、執筆中の世界史の第二巻の草稿を火中に投じたという逸話は、上述の錯誤の一例を示すものと解釈できるのである。直接の観察者の陳述にすら錯誤の入ることを免れない。いわんや陳述者が直接の観察者でなくその事件を聴取した人である時、誤解、補足、独自の解釈等によって更に錯誤の入る機会が多いのは当然である。ことに噂話等の如く非常に多数の人を経由する陳述は、その間にさらに群衆心理が働いて感情的に錯誤はますます加わるのである。

つぎに虚偽にもまた種々の系統がある。たとえば自己または自己の属する団体の利害に基く虚偽、憎悪心、嫉妬心、虚栄心、好奇心から出る虚偽、公然あるいは暗黙の強制に屈服する虚偽、倫理的または美的感情より事実を教訓的にまたは芸術的に陳述する虚偽、病的変態的な虚偽等である。また沈黙が一種の虚偽である事がある。歴史学の史料としては利害関係に基く虚偽、倫理的または美的感情から出る虚偽が最も多いであろう。近代以前に於ては歴史目的の誤謬すなわち歴史を教訓に又は芸術的に陳述する傾向があり、其記事が倫理化美化されていることが多数であり、それ等の記述を史料とする時はつねに警戒を要する。また伝記の作者も自然この傾向のある事を免がれないであろう。

かく陳述的史料には錯誤または虚偽の機縁が多く考えられるのであるが、しかしそれがために全的な歴史的疑懐または歴史的真理の否定に陥るべきではない。個々の史料について可信性を吟味し、厳密に方法的にこれらを取扱う事によってある真理をその中に認識することが可能なのである。なお陳述にたいして遺物が補充手段を提供し、それを利用することによって陳述よりの真理の認識を確かめ得るのである。

史料の陳述の真理を損うものは錯誤および虚偽である故に、可信性の批判は個々の史料について精細に錯誤および虚偽の可能性を考えて、証拠として採用する要素をこれらから解放しようとすることである。そのためには史料を外的批判の結果に基いて、㈠その性質、㈡その日時と場所および作者の諸角度からの検査が必要とされる。

史料の性質　前述の如く遺物は真物であるかぎり可信性の吟味の対象とならない。文献も全体的に（勅令、法律、条約文、文学的作品等の如く）或は又部分的に遺物たる範囲の性質において取扱う時は他の遺物と同様である。

可信性の批判はもっぱら陳述的史料にたいして必要である故に、それについてはつぶさにその外的および内的の性質に従って吟味を必要とする。たとえば外的性質にもとづいて口頭的陳述、文字的陳述性に大別し、まず口頭的陳述を考えれば、それにもまた種々の種類があり、本人直接の陳述は錯誤がもっとも少く、それがまた聞き即ち間接の陳述となれば錯誤がはいりやすく、ことに時間的に人間的に間接の度が増してひろがるほど遠くなるほど真実を損って来る。伝説はその著しいものであって一般に長く伝わる間に(1)誇大、美化、理想化、(2)集中、(3)混合等が行われる傾向をもつ。現在文献化している陳述であっても、かつて相当の期間口伝的であったものはこの性質をおびており、伝説口碑としてあつかう用意が必要である。

また文字的陳述は外的性質によって公私の往復文書、宣言書、演説、新聞雑誌の記事、日記、覚書、回想録、系図、歴史書、年代記、伝記、その他種々の種類に分って大体その性質を考察し、さらにその史料の一々についてその陳述の内容に吟味を加える。同じ公的往復文書であってもその性質は種々に別れる。たとえば外交文書の如きはフリーマンをして「吾人はここに虚偽の最も選ばれた分野をもつ」(Methods. 1886. p. 258)といわしめている種類である。しかし同じ外交文書であっても、その文書の目的の相違等によってその内的性質は一様でない。要するにある種の傾向のある、たとえば利害関係を有する陳述、宣伝的性質をもつ陳述、道徳的ないし芸術的効果を目的とする陳述等については、特に真実の歪曲を予想すべきである。

日時と場所及び作者　史料の可信性を批判するについてはその史料の性質を考察するのみでは不十分であり、それを補うものが日時と場所および作者の関係である。

日時と場所については原則的には頗る簡単であり、一言にしていえば陳述が時間においても場所においてもその陳述する内容に近いほど可信性があり、遠くなるに従ってそれが減少する。即座(an Ort und Stelle)の陳述が理想である。実際においては時間は近いが場所が遠くでなされる陳述、場所は近いが時間がへだたってなされる陳述等があり、一一についてその可信性が吟味されなければならぬ。わが国の古代史において魏志の倭人伝の記事は時が近く場所がへだたって作られた史料であり、古事記日本書紀は場所が近く時がへだたって作られた史料である。こういう場合時と場所とのへだたり方の程度によってその可信性が批判されるのである。

作者についてはその陳述の論理的真実性および倫理的真実性を作者によって判断するのである。すなわち作者と事件との関係、その素質、性格、教養、年齢、性、職業、階級、党派、宗派等の関係によって、その陳述における錯誤ないし虚偽の可能性に種々の等差がある筈である。しかしてこれら等差の考察は実際においてはすこぶる複雑である。たとえば事件の当事者の報告はその事件を最もよく把握している人の陳述たる点においてもっとも価値がある。それは口頭的陳述の際に述べた如く文字的陳述においても、直接の陳述は間接の陳述より理論的に錯誤の可能性が少いからである。しかし他の一方当事者はその事にもっとも大なる関心を有するために、時として利害関係虚栄心等から真実を隠匿する傾向があり、この点においては第三者の陳述の方が可信性が多くなる。論理的真実性はあっても倫理的真実性が欠け、錯誤はなくとも虚偽が入るのである。実際においてはある史料の作者について十分の材料が欠けている事が多く、したがって種々の関係を知る事は困難であり、また多くの場合必ずしも全部の関係を知る必要はないが、一切の陳述においてその作者の人間を顧慮する事がその可信性批判の重要なる標準となるのである。なお事件に関して作者の主観の大いに入っている意見批評等よりも、その陳述の要素をなす素朴な各事実が重要であり、意見批評等はむしろ遺物的な要素として見るべきである。

作者に関しラングロア及びセーニョボスは虚偽の有無について(1)作者の利害、(2)事情の力（職務的報告かどうか等）、(3)同情、反感、(4)虚栄心、(5)輿論への服従、(6)文学的歪曲等を考察すべきであるとし、また錯誤の有無について(1)悪い観察者でないか（錯覚、幻覚、偏見等）、(2)よく観察できる地位にいたか、(3)怠慢及び冷淡、(4)直接に観察できない性質の事件でなかったか等を考察すべきであるとしている。これらは直接の観察者の場合であるが、錯誤および虚偽の起る事情から見て、大体適当な注意の条項であるといえるであろう。

(2)　史料の価値の差別

可信性の吟味によって史料の価値を判断する標準が立つ。史料の価値について坪井博士は次の如く六つの等級を附された（史学研究法）。

一等史料　史学事項の起った当時、当地においてその当事者が自ら作った史料、たとえば主たる当事者の日記の類、参謀官のメモ等。

二等史料　史学事項の起った当時当地にもっとも近い時代場所、あるいは当地ではあるが時代が稍隔っている場合に、当事者が自ら作った史料すなわち追記の精密なもので記憶により証明する場合、普通の覚書記録の類の上乗なものである。古文書も過ぎ去った事を往々述べるがその場合はこの部類である。

三等史料　一等と二等とを繋ぎ合せ、それに連絡をつけた種類のもの、まずもっとも上乗の家譜、伝記、または覚書等。

四等史料　大体から見て年代場所人物がまず差支ないと思われるが明白でないもの、またそれは明かであるが古いために転写され、攙入、脱漏、変化のあるべきもの、建築物地理等はこの類である。書籍にもこの類が多い。

以上を根本史料とする。

五等史料　編纂物の上乗なもの、すなわち根本史料により科学的に審査し、公平に編纂したもの。

等外史料　その程度のさらに落ちた編纂物、伝説、美文、歴史画その他。

これに対し大類博士はつぎのごとく記されている（史学概論、昭和九年版）。

以上は坪井博士の説かれた所で、その史料の等級別は当時・当地・当該人物を主とする当該主義（仮にかく称す）に拠られたものである。すなわち何でも事実と直接関係の多い程信用すべきものであるという方針に外ならぬ。これはもとより至当の方針で、関係の深いだけそれだけ該事件の真相に通じている次第である。しかし（中略）当該主義もまた絶対的な方針とはいわれない。結局は便宜上の方法に過ぎない。かかる方針によって等級を附するのは決して厳正なる意味においての科学的態度ではなく、要はただ大体において当該主義は妥当な方法であると心得てよろしいのである。

元来当該主義によって上記の如き明瞭な標準を立てて、史料に等差を附するは問題であろう。でき得れば等級なるものは廃止するのが宜しい。もとより史料は死物である、これを活かして使うは一に研究者の技倆に俟つ次第で、その技倆如何によって利刃ともなり鈍刀ともなるのである。そうして史料の意義は史学研究の材料となること、即ち史学研究に役立つことに存するのであるから、等級を附するならば、それは研究に役立つ程度の差別であらねばならぬ。然るに研究に役立つことは、研究者の識見技倆によっていかようにも変ずるから、その場合場合に応じて等級は常に変更するのである。要するに等級別は史料そのものに存するのではなくして、研究者の頭脳に存せねばならぬ。つまり上記の如き数等の段階は史料の価値の区別ではなくして、ただ史料の性質の分類に過ぎないのであった。すでに分類に過ぎない以上、一等とか二等とかいう名称を用いて価値の等差と混同せしむるのは宜しくない。殊に等外史料を軽視して、この種の史料は尋常一様の史学研究にはまず入用のない部分である由を説かれたのは首肯し難い所である。

要するに史料の価値は当該主義によって定めることはできぬ。ただ便宜上当該主義に当て嵌《はま》るもの程信用し得べき場合が多いというに過ぎない。われらは宜しく史料そのものに等級を附することを止めて、研究問題の起る度毎にその研究に最も有力なる内容を提供し得るものを一等と心得、以下程度に応じて便宜上それぞれの等差を仮定すべきである。そうしてその標準は必ずしも当該主義に依るの必要なく、自己の研究に役立つことを標準とすべきである。勿論その等差は便宜上の一時的仮定で絶対的のものではない。

以上は大体当を得た主張である。しかしその等級別反対の根拠とされるところについては若干の異議がある。それは「史料は死物である。これを生かして使うは一に研究者の技倆に俟つ」とし「要するに等級別は史料そのものに存するのではなくして、研究者の頭脳に存せねばならぬ」という点である。これはこれ自身としては確かに正当である。しかしこの事を史料の価値批判に交えるべきではない。史料の価値は研究者の素質から離れた理論的根拠から吟味されなければならない。例えば或る良書は或る読者にはなんら役立つところはない。従ってその人にとってはなんらの価値はない。しかしなお理論的にそれが良書であり価値が高いといえるのである。これについて野々村戒三氏が語弊があるといわれているのは至当である（史学概論）。しかして理論的に見て史料の等級別なるものは次の点から反対されるであろう。

一、前述の如く陳述的史料は一面においてまた遺物として採用され得る。陳述として価値がなくとも遺物として役立つのである。従ってその価値は研究者の頭脳を離れても、史料として採用され方によって変化する。それ故に一つの史料を単純に一等とか二等とかなし得ない。ただある一事件の陳述として価値に等差があるというに過ぎず、それによってその史料そのものに固定的な等級をつけることはできない。社会を実写した「芝居、狂言、流行歌、川柳、小説の類」は一時代の社会を研究する時欠くべからざる証拠物となることは坪井博士も認められているところである。この場合欠くべからざる証拠物を等外に堕すという矛盾は、史料の一性質のもつ価値をその史料の全体的発展に価値させたところから来るのである。要するに明確な史料の等級別を立てることは、史料の価値の差別の或る場合の標準を、その当然の範囲以上に拡大させ、不自然に固定化させるメカニズムである。

二、史料の等級別は十分包括的且明確であり得ない。例えば坪井博士の等級別において、一、二等の史料では人間として専ら当事者が着眼されているのみであるが、当事者のほかに多数の人がその事件の報告者であり得る。しかしてその場合直接の観察者の陳述の如きは頗る価値が高いとしなければならないものであるが、それらはいずれの等級に加えるべきであるか。また事件の後まもなく関係者から聴取して記述した陳述の如きはいかなる等級であるか。所詮等級を立てる以上必ずかくの如き疑問の起るを免れないであろう。史料をただ陳述として見ても実際においてその性質は多種多様であり、その価値の関係もまた非常に複雑であり、全体を包括し明確に区別する等級別の如きは到底立て難いであろう。

三、当時、当地において当事者の作製する文書にもまた等差があり得る。例えば当事者のまったく事務的なものまたは私的なものと政略的または宣伝的の性質のものとは異るのである。もとより政略的宣伝的なものも遺物としては大いに価値があるが、それは陳述としての価値ではない。更に当事者の追記となれば時として自己弁護等が加わり、錯誤のみならず虚偽の入り込む可能性がある。欧洲大戦の多くの当局者の追記的陳述に頗る可信性の等差があるといわれるのはこの明証である。当事者の陳述を重んずるのはその論理的真実性についてである。しかし倫理的真実性の要素をくわえればいわゆる当該主義は破綻を来さざるを得ないのである。

史料の可信性の批判において時間場所及び人間の関係をよく考慮しこれを価値判断の標準とする事は、研究法の書物がすべて一致するところであり、その点について疑問はあり得ない。ただそれは杓子定規的機械的でなく、それぞれの史料について十分有機的になされることが肝要である。

五　綜合

他の多くの科学において材料は同時にその学問の対象である。然るに歴史学においてはニーブールが史料の調査を坑夫の作業に比し、「地下の仕事」（die Arbeit unter Erde）といっている如く、史料はただ手段たるのみであり、その批判は歴史学の基礎工事たるに過ぎない。批判によってその証拠力の程度が吟味された史料を用いて、その目的とする歴史認識に達する作業が即ち綜合であり、歴史研究において最も重要な職能である。

(1) 史料の解釈 (Interpretation, Hermeneutik)

先に述べた如く史料の解釈はすでに史料収集の時に始まり、批判においては解釈を伴って始めて可能であるが、史料の性質が十分吟味されて後さらに十分の解釈が与えられる。史料は正しい解釈によって始めて研究に役立つのである。遺物は沈黙してそれ自身直接に説明しない。それを生かすのは解釈によるのである。遺物の史料的価値は絶対的であるが、解釈を誤ればまったく誤った結論に到達する。遺物の証拠となるのはただ解釈を通してであり、遺物にとって解釈は最初のまた最後の条件である。一例を挙げれば有史以前の遺物に凹み石なるものがある。これが何に使用されたかが解釈されなければ殆《ほとん》ど史料たる価値がない。然るに多くの未開人種の発火法を知る事によって、これが原始的な発火法に使用されるものである事が明かになれば、この石の各所に出る事によって、古代の人民が未開人種と同様の発火法を行った事が解釈されるのである。しかしこういう解釈において注意すべきは、それが証明する範囲をよく考える事である。例えば条約、招待、会合、法律、威嚇等に関する文献を遺物として使用する時、これらの事がすべて実施を見たと解釈されてはならない。これらの史料はその実施についてはなんら肯定も否定もしていないのである。ある禁止事項の文献があったとすれば、かかる種類の事がしばしば犯された事を示しているとは解釈できるのであるが、この禁止が徹底してその事の違反がなくなったという解釈は立てられないのである。

文献的史料は言語文字によって表現されており、その言語文字を解釈する事はその出発点である。解釈できない文献は採掘されない鉱山に等しい。多くの古代文字の解読が古代史に新しい世界を開いた事は著名の事実である。歴史研究はその時代の文献を解釈する事の深い程有利な武器をもつ事となるのである。歴史学と文献学（Philologie）の概念の決定に関する論争がかつて大いに学界をにぎわしたのであるが、それは一面言語文字の解釈が歴史学にとっていかに密接の関係をもつかを物語るものである。

史料の解釈はただ言語の意味のみならず、更に歴史的対象の説明者たる意味において解釈されなければならない事はいうまでもない。そのためにはその史料の証明し得る事項に関する知識が深くなければならない。それは常にその背景となる歴史的事実の知識であり、またしばしば各種の補助学科の知識である。例えば古書の内容は時に極めて断片的である。それを適当に解釈して十分の証拠力を発揮せしめるのには、その周囲の事情が明瞭である事が必要であり、かくてその断片的内容が生きて来るのである。同様にある古典の記事の如きは簡単であってしかもいまと事情を異にしている時代の事であるためによく理解できない場合、これと他の多くの歴史的事例とを比較し、また社会学、法律学、民俗学、経済学等を補助学科として、解説闡明《せんめい》される例は少くない。即ち類推的推理の材料として歴史的事例の知識や補助学科が役立つのである。

但しかかる比較研究法について注意すべき事項は、類推は推理の形式として不完全であって推理の飛躍が多い事である。異なった社会もしくは時代の類似は部分的であって、完全な一致でない故に、部分的な観察を普遍化させてすべてをパラレリズムを以て説明する事は危険である。この種の類推の実例としてベルンハイムの記載している所を引いて見る。それはモルガンがその名著古代社会（L.H.

Morgan, Ancient Society 1877）その他の書において、ある原始民族の夫婦関係の観察から出発して、すべての民族がもと乱婚関係で群居していた事、またすべての民族がその文明の向上とともに必ず夫婦関係の形式の同一な段階を通過し、その間殊に母権の支配する段階が顕著なものであり、最後に一夫一婦の形式に到達した事を推論した。この書の推論を基礎として更に多くの推論が成立した。然るにウェスターマークの人類婚姻史（E. A. Westermarck, The History of Human Marriage. 1891）の詳細な調査は、モルガンの研究法とその普遍的推論の誤謬を証明した（Lehrbuch. 5. u. 6. Aufl. 1908. S. 610）というのである。すべてこの形式の推論は若干の具体的実例に基いて普遍的結論を立てる行き方である故に、それに反する具体的実例の指摘によって覆されるものである。史料の解釈において類推的推理は大なる示唆を提供する。しかしこの際類推法そのものは学問上ではただ仮説の設立をなすに用いられる推理の形式である事を忘れてはならない。

(2) 史実の決定

史料はある歴史的事象即ち史実を証拠立てる。時としてある一史料は十分にある史実を証拠立てる事がある。例えばある形式の整った条約文の存在は十分にその条約の締結したところの決議事項を証拠立てるのである。しかし多くの場合一史料のみでは一の史実を決定する事は不可能であって、多くの史料を必要とし、時として一の史実に関する史料が甚だ不十分であって、発見されているすべての史料を用いなければならない事がしばしばである。而して多くの史料の陳述は或は一致し或は矛盾する。

史料の証拠が一致する場合

(一) 遺物と遺物の一致。遺物は沈黙しており、それを生かして証拠に使用するのは解釈である。然るに解釈は主観的要素があり誤謬に陥り易い。それ故に遺物の一致にはその数の多い事が要求される。遺物の一致とは即ち解釈の一致であり、多くの遺物に対して同一の解釈が成立する事を意味する。きわめて僅少な遺物の一致では史実は十分に決定され得ない。

(二) 陳述と陳述との一致。この一致はそれらがなんら親近関係をもたず本原性を有することが条件である。親近関係のない陳述が多く一致する程その力は強くなる。この際些細な点の不一致は決して重要事項の一致を否定する事はできない。しかし可信性の少い陳述の一致はその本原性について疑を容れる余地がある。

(三) 遺物と陳述との一致。ある史料の価値が低くその陳述がそれのみでは疑わしい時、遺物がそれを確かめてその史実の存在を肯定することがある。例えば古代の伝説が遺物の発見によって信ずることができるに至る如きである。またある遺物にいろいろの解釈が下されるが、なおそれらの解釈のどれが正しいか不明である時、新しく発見された文献的史料によってその遺物の一の解釈が確実となることがある。エジプト学アッシリヤ学等に多くこの例が見出される。

史料の証拠が矛盾する場合

二つ以上の史料の証拠が一致しないことは実際の研究において常に出合うところである。その場合を原則的に扱うために二つの史料でいえば、一方が全く不可能であるかまたは可能性の殆どない事である時、或は史料の可信性において一方は十分であり、他方は疑わしい時、その決定は容易である。しかしいずれも可信性が十分でなくただその程度に相違がある時、可信性の多い方に可能性蓋然性を認める程度以上の決定はなし得ない。相互の可信性が同様もしくはそれに近い時は疑問を残して置く外はない。実際においては多くの史料があり更に事情をも考慮に入れる故に非常に複雑になるが原則は上と同様である。かくて史実について多くの史料が矛盾している時、それらの史料から立てられる史実の決定を簡単な形式に表わせば

一、肯定
二、蓋然
三、未決定
四、否定

の諸種となるべきである。

史料が相矛盾する場合についてはなおいろいろ注意すべき事項がある。

表面上矛盾するが如く見えて実は相補足する事がある。例えば甲は一の事を証

明し乙は他の事を証明している時、それは矛盾でなく共に真実であり得るのである。

史料の矛盾は実は真理が中間にある事を示す場合がある。例えば戦争において両方が共に勝利を報告しているが、それはその勝敗が決定的でない事を意味する時の如きである。

事件そのものは本来同一であるが、ただ陳述者の心理主観の相違によって別個の形をとっている事がある。

不必要の事項の矛盾は多くの場合問題とするに足らない。

沈黙の証拠（Argumentum ex Silentio）

史料の証拠の一致及び矛盾に関係のあるのはいわゆる沈黙の証拠なるものである。これはある史料に当然あるべき事柄がなく、従ってその事の否定の根拠となるものである。その点からこれはまた消極的証拠（Argumentum negativum）と呼ばれる。例えば北條時頼の廻国の物語がもし事実とすればそれは当然東鑑に載るべきはずである。然るに該書にはそれに関するなんらの記載がない。従ってこれは一個の小説に過ぎないという類である。但しこの沈黙の証拠については次の点を吟味しなくてはならない。

一、陳述者がそれを知っていたか。古い交通不便の時代には時として当然知るべき事に無知であった事が有り得る。

二、陳述者が報告すべき事と認めたか。時代の差異等のために価値批判の相違のある事が考えられなければならない。

三、陳述者が報告し得ない事ではなかったか。なんらかの利害関係により、また淳風美俗を害すと考える事により、特に沈黙を守っている事が有り得るのである。先に述べた如く時として虚偽の一種たる沈黙がある。ある国の外交文書の発表において時として殊更に或る文書を加えない事の如きもまたこの種の沈黙の一種である。

上の如きいろいろの場合をよく吟味して始めて沈黙を消極的証拠となし得るのである。また時としてある遺物の存在しない事が沈黙の証拠となる事がある。考古学的研究の場合の如きこの例が多い。

(3)　歴史的聯関の構成

史料の提供する史実は断片的であり、そのままではなおなんらの連絡がない素材である。これを因果関係において連結し、有機的な全的の経過発展の形に構成するのが、ここにいう歴史的聯関の構成であり、綜合の作業の中心である。それは史実の聯関の把握によって過去の史的発展を思想の中に再現するのである。而して史実を連結させる手段は推理であるが、それは厳密に科学的推理でなければならない。この推理は本質的にはもとより他の科学におけると同じ形式の論理であるが、歴史的推理には先験的な原理として人間の社会事象の要因に関する意識が働くのである。これはもとよりすでに史料の批判における、またその解釈における推理の要素であったものであるが、特に史実の聯関を把握するにおいて指導的であるのである。而して人間の社会事象の要因としては(1)自然的要因、(2)心理的要因、(3)文化的要因が考えられる。自然的要因の意識とは人間に対する自然の制約を理解する事である。心理的要因の意識とは人間の心理を歴史的生活に働く力として理解する事である。文化的要因の意識とは人間社会の生産である一切の文化を歴史を規定する力として理解する事である。この場合文化はもとより広義であり、精神的文化のみならず物質的文化の一切を包含する。唯物史観はこの物質的文化の要因に、もっと正確にいうならば生活物資の生産様式に、特に支配的地位を与える考え方である。これらはもとより独立的でなく相関的有機的に作用するのであるが、その社会事象に働きかける主要なる特色に従って着眼の便宜のために分類されるのである。何人でも人間の生活関係に対する理解において素朴ながらこれに関するある意識をもつ。この意識を欠く時、人間の社会事象はまったく不可解な現象とならざるを得ない。これは歴史を認識する基礎であり、歴史的聯関の構成にはこれが先験的に働いて因果関係を立てる基礎をなすのである。史実の聯関を正しく構成するためには、これらの要因に関する理解が深く且つ妥当であって偏しない事、実際の研究において注意がそれらに十分に且つ鋭く行き亘る事、因果関係の推理が厳密に論理の形式に合して欠陥を示さない事が必要なのである。偉大なる歴史家と称された人物は単に基礎的作業たる批判における技倆のみならず、いずれもこの歴史的聯関の構成における眼識が博く且つ秀でておったのである。これはもとよりもって生れた頭脳にも関係する。しかしこれは社会生活の豊かな体験と歴史研究のたゆまぬ努力によって鍛え得るものである。また、優れた多くの研究をよく玩味してその鋭い史眼を会得する事も大切である。

ランケは歴史は鏡の物を写すが如く客観的に考究されなければならない事を主張した。この歴史は客観的に考究すべしという態度は、歴史的聯関の構成の問題に関係がある。きわめて厳密にいえば人間の認識に純客観的なる事はあり得ない。況んや歴史学の如く価値的意識をその認識の根柢とする学問にあっては到底主観的要素を除き得ないのである。しかしランケの発言はその内容に正当な主張をもつ。それは利害関係、好悪の感情等に支配されず、すべてにまったく公平な態度を取るべき事の素朴な表現である。歴史学の研究者の常にもつべき反省をさすのである。

歴史学の対象は人間的事象であり、従って自然を対象とする自然科学の場合と異り、その取扱う個人、団体時代、等に好悪の感情をもつを免れない。更にまた歴史家は現実の政治的経済的思想的生活において実際的関心があり、それが意識的無意識的に研究の中に入り込む危険があるのである。客観的とはかくの如き傾向を脱却して冷静に歴史的対象を取扱う事である。而していわゆる主観的傾向の最も入り込む機会は歴史的聯関の構成の際においてであり、客観的にという標語はこの場合に最も意義をもつものである。

いわゆる客観的であるためにはすべてに対して同感（Sympathie）をもつ事が要求される。同感とはできる限り、個人、団体、時代等のすべての立場を理解し、よくその中の人間性を認める事である。現実的関心において反対の立場にあるものに対しても、歴史的聯関の構成においては、実生活的関係の要素の入る事を防がねばならない。ドイツ人であり、新教徒であってローマ教会のドグマを信じなかったランケのローマ法皇史における態度の如きがその好例である。

一の歴史的聯関の構成が未だ何人にもなされなかった題目について行われる時、それはその研究者の学的業績となる。なんらかの新しい史料が発見されれば、それは当然新しい証拠を提供し、ある問題について従来承認されていた考え方即ちある歴史的聯関が覆えされ、そこに新しい聯関が構成される事となる。即ち新史料の発見は研究者に新しい仕事を提出する。よしまた新しい史料の発見がなくとも、研究者にとって従来の考え方を覆えして独自の見解を立てる余地がある。それは史料の使用の範囲において、またその解釈及びその聯関の構成の仕方において、従来のものが必ずしも完全でないからである。

(4) 歴史的意義の把握

それぞれの歴史的事象は有機的な大なる全体の発展の中の一部である。その一部が全体の発展に対していかなる地位を占めるか、即ち全体の因果的関係においていかなる要素であるかを考察する事が歴史的意義の把握である。これについてエドアルト・マイヤーの論じている中の最も適切な一節を引こう。

すべての歴史においてその影響を及ぼした範囲から見てアウグスッスの如き人格はない。ケーザルは非常に著しくより優れた人物であった。しかし彼の歴史的影響は彼の養子に比してなおただ一時的のものであった。世界がアウグスッスに服従した時、数世紀を通ずる古代世界のその後の発展は、ローマ帝国の将来の領域設定に関する彼の決意に基くことになったが、そればかりでなくその決意の直接の結果からいまもなおドイツが存在したり、ローマ風民族とともにゲルマン風民族が存在したりするのである。なんとなればこの国家領域設定によって、ゲルマン族の永久的服従に必要であった程の規模の征服戦争が不可能になったからである。もとよりアウグスッスの決意は当時の形勢に影響されているが、しかしそれはその核心においてて彼の人格の発露であった。ケーザルなら同様の形勢においてもまったく異った決意をしたであろう。アウグスッスはケーザルが国家に与えようと欲した領域を彼自身の自由意志から拒絶したのである（Ed. Meyer, Zur Theorie und Methodik der G. Kleine Schriften. 61-62）。

人物としてはケーザルの偉大にとても及ばないアウグスッスが、歴史的意義においては無比の地位を占める理由を論じたのである。それぞれの研究題目についてその歴史的意義を把握する事は、歴史の研究の最後の考察であるべきである。

もっとも実際の研究においてはある題目について研究の要求を起す動機は、意識的にもしくは無意識的にそれに関する歴史的意義の直感的把握であろう。歴史は過去に対する現代の関心である。その関心がいずれの分野いずれの題目に向けられるかは各人において異り千差万別というべきであるが、しかし各研究者にとってある題目に関心を向けるに至った基礎には、それに関するある程度の歴史的意義の認識があるべきである。それ故にある点からいって歴史的意義の把握は歴史研究の要求の出発点である。しかしある歴史的事象の歴史的意義を真によく把握する事は、勿論その事象その題目に関する精細な認識を得た後、それを十分に歴史の全発展の中にはめ込んで考察して漸く可能である。従ってこれを綜合の最後の作業とすべきである。

歴史の語を抽象的にただ過去の経過と見てまったく客観的な存在の意味に解すれば、それはもとより固定した不変なものである。しかしそれは人間の意識する歴史そのものでなく、永遠に忘却の中に没し去って人間の思想と交渉のないものである。これに反し歴史の語を人間の意識する過去の意味に解すれば、それは決して固定的なものではない。歴史はいわゆる現代性をもち、現代の姿に従って意識する歴史が異るのである。その意識する歴史が異る所以は即ち過去の歴史事象に対する歴史的意義の把握が変化するからである。過去に対する歴史的意義は人間の生活の発展の現代の段階によって決定される。蒸気機関が非常な発達をするにいたってひるがえってその発明に人類の運命を支配したものとしての意義が附せられるのである。またヨーロッパの宗教的分離が社会万端の事に甚大な影響をもつにいたって、溯ってルーテルの九十五条のテーゼの歴史的意義に重要さが附せられるのである。これに反しその当時最も社会の耳目を聳動した表面的な事件は、その直接の社会においては大なる歴史的意義が附せられるのであるが、時代の進むに従いその後世への影響が僅少である時、その歴史的意義は僅少となる。一の時代は常にその時代のもつ歴史的意義の把握があり、従って人間の意識する歴史は時代の進みとともに変化する。新しい時代の形態の展開が過去を見る角度を変えて行くのである。もとより人間の社会の形態が本質的に変化するものではない故に、歴史の意識が完全に変化する事はないのであるが、歴史の新しい展開が過去に対する新しい意識をつくるべき事は動かせない。即ち歴史が歴史をつくるのである。かくてエドアルト・マイヤーの歴史研究は溯行し、歴史記述は下行すという文句が生れるのである。この点から歴史研究には現代の立場から常に新しい歴史的意義の把握が試みられ、新しい問題が提供されるのである。とにかく歴史の研究において新しい歴史の意識の形態を規定するものは歴史的意義の把握であり、それは歴史研究の出発点でありまた到着点である。即ち歴史的意義の把握は直感的に歴史研究に先行し、実証的にその帰結となるのである。

六　方法的作業の一例
——天文年間塩尻峠の合戦

以上略述した所は頗る抽象的であるから、それを更に実例に適用してそれによって一々の場合を例示して見よう。この際引例として適切であるためには単純明瞭に公式にあてはまる如きものであることが必要である。その点から最も初歩的なものを選択する事になるのはやむを得ない。

題目　天文十七年七月十九日武田信玄が小笠原長時を信州塩尻峠に撃破した戦を題目とする。この戦は史実としてはすでに確定して色々の書物に載せられているが、これを考証して見る時、それが種々の点で頗る公式的に上述の諸項に該当する事を発見するのである。

史料　この戦に関する文献的史料の中で方法的に材料となるのは次の種類である。

(1) 古文書
(2) 諏訪神使御頭之日記
(3) 妙法寺記
(4) 溝口家記
(5) 二木家記（壽齋記）
(6) 岩岡家記
(7) 小平物語
(8) 甲陽軍鑑

その他この戦を載せている時代の下る記録は多数あるが、それらはいずれも余りに明瞭に甲陽軍鑑の影響を受けた稗史的のもので、後に多少関説する事もあるが、特に記載する程の事はない。なおこの戦に関する口碑も若干この地方に伝わっているが、要するにこの峠に戦のあった事を言伝えているに過ぎず、史料として見る程のものでない。一方この峠を中心とする地理が重要な史料として着眼すべき事は勿論である。その内容を批判する上に必要であるから、これらの史料をいま具体的に記して見る。

(1) 古文書

諏訪郡湖南村濱徳蔵氏所蔵の古文書に次のものがある。

今十九卯刻於二信州塚魔郡塩尻峠一一戦之砌、頸壱討捕条、神妙之至候、弥可レ抽二忠信一事肝要候、仍如レ件

天文十七戊申

七月十九日　晴信（朱印）

波間右近進との

而して甲州文書の中にも右とまったく同一文句のものがあり、宛名が土橋惣右衛門尉どのとなっている（持主遠光寺村土橋文六）。更に筆者の見た書物にこれと同一文句の古文書の収められているものが二通ある。一は木曾考に載っている

信玄父子義昌朱印書札という中に大村与右衛門なる人物に宛てた信玄の感状三通の中の一通である。これは原文書は今残っているかどうか知らないが、この書編纂の時あった確かのものである事は疑いない。他の一は武田三代軍記巻之七塩尻峠合戦之事の条に載っている小山田平治左衛門なるものにあてたものである。この書物はまったく信用の置けないものであるが、この古文書だけは上の三通と同じものでその類のものがあったと思われる。但しこの方は朱印でなく花押になっているがこの書物の性質上そこ迄は信用できない。

(2) 諏訪神使御頭之日記

天文十七年の条に次の記事がある（註は筆者）。

一、四月五日ニ村上小笠原仁科藤沢同心ニ当方へ下宮まで打入、たいら計放火候て則帰陣候、然間御柱十五日ニ甲州ヨリ無㆓相違㆒被㆑為㆑曳候、神長禰宜其外社家衆田部籠屋ヨリ帰村仕候

一、六月十日に小笠原殿下宮まで打入、下宮地下人計出相、馬廻下侍十七騎雑兵百余討取候、小笠原殿弐ケ所手おはれ候、宮移之御罰と風聞候、其上村

上仁科小笠原御柱宮移ニさはられ候間、末々も可レ有二神罰一候
一、此年七月十日ニ西之一族衆並矢島花岡甲州え逆心故諏訪乱入候、神長千野殿従二河西一上原え移候、同十九日に西方破悉放火候て、其日武田殿小笠原殿於勝○（註、一字不明）一戦候て武田殿打勝　小笠原衆上兵共ニ千余人討死候

(3)　妙法寺記

天文十七年の条に次の記事がある（文政九年の版本による）。

此年七月十五日、信州塩尻嶺ニ小笠原殿五千計ニ而御陣被レ成候ヲ、甲州人数朝懸被レ成候而、悉小笠原殿人数ヲ打殺シ被レ食候

(4)　溝口家記

これに載る小笠原長時の伝記の記事（以下の四書信濃史料叢書所収による）。

卅一之年於二諏訪峠一武田晴信法名信玄と打向合戦刻、西牧四郎左衛門与二洗馬之三村駿河守一同心に其勢千四五百企二逆心一於二後之峠一鯨波を咄と上る。無レ拠に付而両人之方に被二馳向一、両所の勢傍え引退、不レ及二是非一塩

尻長井坂を御退候、後より慕、長時帰合、不レ知レ数打捨に被レ成候、適大将之由後々申伝候

また同書に長時は天正十一年に六十五歳で逝去した事が載っているから、それから逆算して長時三十一の年は天文十八年の事となる。

(5) 二木家記（又は壽齋記）

この記事は頗る長いがこの類のものの性質を示す事と、またこれと次の小平物語との親近を証明する為めに全体を掲げる（註は筆者）。

長時公家老衆を召て被レ仰候は、下の諏訪に武田晴信より城代を被レ置候事、信濃侍の瑕瑾と被レ仰候て、諏訪の城代追払可レ申由被レ仰、則両郡の侍、仁科道外、洗馬の三村入道、山邊、西牧殿、青柳、苅屋原、赤澤、島立殿、犬甘殿、平瀬殿、其外長時公御旗本衆、神田の将監、標葉、下枝、草間、桐原、瀬黒、何もさうしや、村井、塩尻衆、征矢野、大池各也、二木豊後、舎弟土佐、三男六郎右衛門、兄弟三人也、豊後子萬太郎、土佐子萬五郎弟源五郎兄弟也、此源五郎は土佐二番目の子にて候、是は草間肥前が養子に

罷成りて、草間源五郎と申候、長時公近習仕、林に住所、御旗本に罷在候、二木豊後、同土佐、同六郎右衛門、同萬太郎是は壽最事也、同萬五郎五人は西牧殿備と一所に罷立候。惣軍勢林を立て下の諏訪へ取掛、晴信公より被レ置候城代を、手きつく責申候、四月中旬なり、強く責申候故、長時公へ城相渡可レ申候間御馬を少御退可レ被レ下由申候に付て、城を受取可レ申処に、仁科道外望被レ申候は、下の諏訪被レ下候へ、左候はゞ甲斐の国迄の先掛を仕、晴信と一合戦仕候はんと望申候処に、長時公被レ仰候は、我等縁（註、稼の誤）のさきを望事推参なりと被レ仰に付て、仁科道外ほね折ても詮なしと被レ申、晴信朱印有とて、軍前をはづし、備を仁科へ引取申候、就レ其城渡不レ申候、然処に晴信後詰のために上の諏訪へ御着候、各申候は、諏訪を道外に出す間敷と長時公被レ仰候は、御一代の可レ為二御分別違一と申候、長時公は其日は諏訪の内四ツ屋と申処へ御馬をあげられ候、夜明候て諏訪峠に御陣御取被レ成候。其日の四ツに軍《いくさ》はじまり申候、初合戦に晴信先手を切崩し、四ツ屋迄敵追下し、首百五十長時の方へ取申候。其日の内に六度の軍に、五度は長時公の勝に候、晴信には旗もとこたへ候付、六度目の合戦に洗馬山邊敗軍仕候に付、長時旗本にて懸つ返しつ軍御座候、御旗本衆能者共皆討死仕候故、長時公も漸々林の城へ御引取被レ成候。晴信公泉迄御働、泉に陣を御取被レ成、林への手遣被レ成候処に、村上殿小室へ働被レ申候由御聞、早々引被レ申候、其時長時公の衆能者共皆討死仕候。洗馬逆心に付、西牧の衆二木一門の者、本道を退事不二罷成一候て、櫻澤へかゝり奈良井へ出、奈良井孫右衛門所にて、飯米合力に（註、をの誤）請、御たけ越をして漸々西牧へ出申候

　壽齋記はこの戦の時を何年とは記していないが、壽齋即ち上の文中に出る二木萬太郎の「拙者十六」という年の所の記事であり、而してその前に伊那に出陣した所の記事に「其時壽最（註、壽齋）を萬太郎と中候、年十五歳の時也、生年は庚寅の年にて候、始て具足を着し御供仕候、天文十三年甲辰の年也」と記しているから、この戦は明かにその翌年天文十四年を意味している事が解るのである。

(6)　岩岡家記

この記事は極めて簡単なものである。

天文巳五月、長時公信玄公と御取合之時、於㆓諏訪峠㆒岩岡石見討死仕候、是は拙者祖父にて御座候

(7) 小平物語

これを先の壽齋記の記事及び後に掲げる甲陽軍鑑の記事と比較して見ると、こういう記事のできる種がよく解るのである。

天文十四乙巳歳、長時公老臣各を召て宣ふは、一両年已来、武田晴信上の諏訪の城に舎弟典厩差置、下諏訪には家老の板垣信形を置事、無念の至りなり、諏訪の城代を踏倒し、其時晴信後詰において有無の勝負と被㆓仰渡㆒、仁科、洗馬、三村、山部、青柳主計、西巻、苅屋原、犬飼、赤澤、島立、平瀬、各の衆大身旗頭なり、其外旗本神田将監、泉石見、栗柴、宗社、草間、桐原、村井、塩尻、大池、二木豊後、同土佐、草間源五郎肥前養子、二木彌右衛門豊後実子壽齋事、丸山筑前守、此外木曾同勢にて、雑兵共に八千余騎の着到を以、塩尻を打越諏訪近に陣を取、板垣が城を攻給ふ、すでに本城ばかりになり危

き処に、又晴信後詰として上諏訪迄御出にて、御先衆は甘利備前、両角豊後、原、栗原、穴山、小山田、御旗本にて日向大和守、小宮山、菅沼、今井伊勢守、長坂、逸見、南部、都合九千余騎の軍兵を以て、小笠原へ御向被レ成也、長時公其日、四ツ谷といふ処御馬被レ上、夜明て諏訪嶽に陣を取、同巳刻に軍始也。晴信公の先手甘利、両角、原加賀守、栗原、穴山、小山田が兵崩て、味方手負死人大勢有レ之処、典厩一隊を以て、諏訪勢相支ふるなり、長時公方の洗馬丸山を追返し、敵百五十八の首を取るなり、此時強き働を諏訪衆仕る、一日に六度の戦続て、不切手に合候んは澤、茅野、高木、高梨、三澤、小平、両角なり、此両角は両度迄一番鑓を入るなり、六度目の戦に、長時公の御内征矢野といふ大切の侍と、両角と馬上にて鑓を突合、互に柄を取て引合に、両方共に其頃聞え有武功由緒有、近付なば是非勝負を眼前にて迫合処に、長時公の内にて、洗馬三村入道山部逆心して、晴信方になり裏切を仕る故に、長時敗軍なり、晴信方へ首六百取り、亦仁科道外も逆心仕り武田方に成となん

(8) 甲陽軍鑑

この書は偽書であることが証明されているが、他の史料との関係から当該の記事を全部あげる（東京大学図書館所蔵の同書中の最初の版本明暦二年京都二条玉屋町村上平楽寺開板による。註は筆者）。

同月（註、天文十四年五月）十九日午の刻に諏訪高島の城代板垣信形飛脚を以て申上る、塩尻へ小笠原打ち出で到下（註、峠）をこしてこなたへ働き申す、又伊奈衆も働き申候、由晴信公聞召、時日をうつさず即午の刻にこむろを打出給ひ、諏訪へ御馬をむけられ、いな衆をば板垣信形うけ取向ふ、小笠原木曾の両敵には晴信公向ひ給ひ、御さきは甘利備前、諸角豊後、原加賀守、右は栗原左衛門、穴山伊豆守、左は郡内の小山田左兵衛、典厩様、御旗本後備は日向大和、小宮山丹後、かつ沼殿、今井伊勢守、長坂左衛門、逸見殿、南部殿、都合七頭後備、五月二十三日辰刻に小笠原塩尻到下を下て、木曾殿を筒勢（註、同勢）にして到下に備を立させかゝりて軍を始むる、小笠原兼々分別には度々晴信にあふて勝利を失ひ、如レ此に候はゞ、小笠原滅亡と存ぜられ、有無の合戦ときはめ出られたるしるしに、とき衆（註、さき衆の誤か）三頭と暫く戦有、其間に右備衆二頭にて到下を心懸、後へまはし、木曾殿備にかゝらんとするを見て、小笠原衆敗軍して勝利を失ふ、小笠原木曾の両敵衆を晴信方へ討取、其数雑兵共に六百二十九の頸帳をもつて同日未の刻に勝時を執行給ふ、天文十四年五月廿三日巳の刻に木曾小笠原両旗にて小笠原方よりしかも懸て軍をはじめ、晴信公は待合戦にて勝利を得給ふ、信州塩尻合戦と申は是也、晴信公廿五歳の御時なり

真純性の批判　以上のうち古文書は現に疑を容れられない実物が存在している。書物に収められたうち武田三代軍記に載るものはそれだけでは信用されないが、先に述べた他の史料と比較する方法で、こういう書物にでもはっきり古文書の形で載っているものは頗る実物を反映している事が知られる。次の神使御頭之日記は確かな原本が存在していて問題にならない。妙法寺記の真実性も疑う余地がない。溝口二木岩岡の三家記及び小平物語はいずれも著者自筆のものはすでに無いらしいが、書物そのものは偽書でない事は内容の上からまたその来歴の上か

ら看取される。これに反し甲陽軍鑑は高坂弾正昌信著となっているが、これについては史学雑誌等に多くの考証があり、偽書たる事が明かにされているので茲に贅言を要しない。然るに徳川時代にこの書をもととした小説的な歴史読物が頗る多数出たのみならず、続本朝通鑑、列祖成蹟、逸史、日本外史、日本野史等いずれもこれに拠ったので、史学史的に甚だ重要なものとなった。本書は実にわが国の偽書中の最も著名なまた最も注意すべき一といえるであろう。

次に攙入脱落変形等については古文書及び神使御頭之日記には問題はない。妙法寺記は文政九年の版本によったが、東京大学図書館所蔵の天保八年の日附のある長澤衛門なる人の写本妙法寺旧記には「信州塩尻嶺ニ小笠原殿三千斗ニ而」となっていてここだけ前掲の方の五千と違っている。版本はすべて五千となっているがなお他の写本によって校合《きょうごう》の必要があるであろう。溝口二木岩岡三家記の信濃史料叢書に収められたものは小笠原伯爵家所蔵の笠系大成の附録になっているもので、そのうち二木家記即壽齋記は史籍集覧中に輯録されており、またこの三書とも明治三十五年出版の松本六万石史料（上）なる書に収められている。いま壽齋記について見れば集覧本の底本は上の大成本よりも悪いらしく、誤字が多くまた脱落がある。例えば上に引いた終の方に「長時公も漸々林の城へ御引取被レ成候、晴信公泉迄御働、泉に陣を御取被レ成、林への手遣被レ成候処に、村上殿小室へ働被レ中候由御聞」云々のところで線を引いた部分だけ脱落し、まったく意味が解らなくなっている。またその次の「二木一門の者本道を退事不二罷成一候て、櫻澤へかゝり奈良井へ出、奈良井孫右衛門所にて飯米合力に請」の櫻澤を梅津、奈良井孫右衛門を奈井源右衛門として居る。櫻澤、奈良井の方が正しい事は勿論である。六万石史料に載るものは更に大いに原形に遠くなっている形跡がある。例えば著者が「拙者十六の正月末也」というところを「時に天文乙巳正月の末なり」とすべて年号に改めてあり、その他この類の事が多い。しかし大成本にもすでに若干誤があるようである。例えば初の方の長時の家臣を並べた所に「何もさうしや」と変な文句があるがこれは集覧本にただサウシヤとなっているが正しく、即ち宗社で松本の東にある総社から出た姓である事は明かである。また中程の「長時被レ仰候は我等縁のさきを望事推参なり」となってこれでは意味不明であるが、集覧本には「稼ノハナヲ望事」とあるのが古い形であろう。また「洗馬山邊敗軍仕候に付」は集覧本には「洗馬山邊逆心仕」となっているが、すぐ下の記事から見て此方が正しいであろう。両者を比較すれば原形に近づく事ができる。溝口家記も大成本に比較すれば、六万石史料に載るものは崩れている。例えば引用した初の「卅一之年」を後者では「長時年三十一、天文十八巳酉年」となって註の混入した形がある。要するに三家記は笠系大成本が大体原形に近いものと思われる。小平物語の信濃史料叢書に載るものは蕗原拾葉本であるが、これは後に述べる如く上に引用した個所はなんらの証拠力がなく異本と校合の必要がない。最後に甲陽軍鑑は早く版本となったので大体原形を伝えていると思われるのである。

来歴批判　古文書は一見明瞭である、諏訪神使御頭之日記は諏訪神社上社の神官所謂五官の一たる守矢家の記録で、享禄元年より天文廿三年に至る二十七年間について上社の祭礼の当番になった郷名を録してある記録で、その間に細字を以てこれに関係のある要件の外各年に起った大事件を記入してあるものである。

即ち一種の年代記で同時代の記録というべきものである。もとより年代記であるから多少追記的であろう。殊に御頭の日記は多く「此年」と書き出してあるがこれは追記的である証拠であると思われる。妙法寺記は甲斐国南都留郡木立妙法寺の主僧が代々書き継いだ年代記で、文正元年から永禄四年迄の九十六年間に亘り、極めて素朴に毎年の豊凶治乱等の大事件を略叙している。甲斐国誌に引いている勝山記はこの一異本である。筆者が親しく見聞したところの書留めでその点前書と類似しひとしく同時代の記録である。次に溝口家記、壽齋記、岩岡家記はほぼ同性質のものである。即ち溝口家記の終に

慶長十三年戊申七月吉日　　溝口美作守貞康（花押）

謹上　主水助殿

とあり、又壽齋記の終に

兵部大輔秀政様御望に付、任二御意一拙者存候通書記し差上申候、以上

慶長十六年辛亥十一月吉日　　二木豊後入道壽最

小笠原主水殿

とあるによって見れば、当時諸臣が小笠原家の故事を記述して家老に提出したものである事が解る。蓋し小笠原氏は天正十八年家康の関東入国に従って下総に移ったが、関ケ原の後秀政が慶長六年飯田の城主となりまた故国に帰った時代、一度長く没落して漸く復興した小笠原氏の歴史及び臣下の功績について諸臣に書出させたものと判断される。これらはいずれも主家の興亡を述べるとともに自分の家の功績を巧に宣伝しているのである。即ち溝口家記は小笠原氏の始祖以来歴代の小伝を述べ、長時の条が最も詳しく、その間筆者溝口直康の祖先以来の忠節を述べており、壽齋記は長時の時以来生残りの臣二木壽齋が記憶によって長時の没落及び貞慶の復興を記した形のもので、その間彼自身のほかに父、叔父その他一族の事を多く記載している。而して彼が天文十三年を十五歳と記している所から計算すれば、この書を提出した慶長十六年は八十二歳に達した訳である。岩岡家記は岩岡織部なるものの記述で、小笠原貞慶の復興の事情を記し終りに前二書の如き献上の文言を欠くが、「あらまし如レ此候」とあって同性質のものである事を暗示している。筆者は塩尻峠で岩岡石見なるものが戦死した事を述べ、「是は拙者祖父にて御座候事」と説明しており、前二書とほぼ同時代のものと思われる。而して小笠原家の家譜を本伝とし、附録として此等の家記その他の記録を収めた笠系大成は、その序文に豊前小倉の城主小笠原侯の家臣溝口政則二木重時が京都で元禄十年に編輯を始め、宝永元年に完成したと記している。即ちこれらの家記のできた約百年後であり、その間に若干の変形が考えられるのである。

小平物語は伊那郡の人小平向右衛門正清なる人物が、祖父信正入道道三、父信諸入道圓帰に関する話を父圓帰から聞いていたのを、貞享三年八十二歳の時伊那の漆戸郷で書きつけたと記してある記録である。而して上に引いたのは蕗原拾集本であるが、これは高遠の儒者中村元恒の蒐集した古書の叢書であり、貞享より百数十年以後に成ったのである。甲陽軍鑑については先人の考証があり、ここにあげるを要しないであろう。

本原性の批判　各古文書及び神使御頭之日記及び妙法寺記が全く独立的で本原性を有している事はなんら疑を容れない。溝口家記も上に引用した文句において他と親近関係をもたないと断定できる。然るに壽齋記、岩岡家記、小平物語及び甲陽軍鑑は来歴の上からは全く予想されないにかかわらず、内容的に頗る従属性を有する事が認められる。即ち小平物語の上掲の文は先にすでに指摘した如く壽齋記と甲陽軍鑑から大に借用している。例えば

壽齋記

「長時公家老衆を召て被レ仰候は、下の諏訪に武田晴信より城代を被レ置候事、信濃侍の瑕瑾と被レ仰候て、諏訪の城代追払可レ申由被レ仰、則両郡の侍仁科道外」より以下武士の名の列べ方、

「長時公は、其日は諏訪の内四ツ屋と申処へ御馬をあげられ候、夜明候て諏訪峠に御陣御取被レ成候、其日の四ツに軍はじまり申候」

小平物語

「天文十四乙巳歳、長時公老臣各を召て宣ふは、一両年已来武田晴信上の諏訪の城に舎弟典厩差置、下諏訪には家老の板垣信形を置事無念の至りなり、諏訪の城代を踏倒し、其時晴信後詰において有無の勝負と被二仰渡一仁科」

以下の武士の名の列べ方

「長時公其日、四ツ谷といふ所御馬被レ上、夜明て諏訪嶽に陣を取、同巳刻に軍始也」

この両方の表現の様式の一致はその親近のまったく明瞭な証拠であり、更に甲陽軍鑑の

「御さきは甘利備前、諸角豊後、原加賀守、右は栗原左衛門、穴山伊勢守、左は郡内の小山田左兵衛典厩様、御旗本後備は日向大和、小宮山丹後、かつ沼殿、今井伊勢守、長坂左衛門、逸見殿、南部殿」と

小平物語の

「御先衆は甘利備前、両角豊後、原、栗原、穴山、小山田、御旗本にて日向大和守、小宮山、菅沼、今井伊勢守、長坂、逸見、南部」

の間の親近は疑う余地がない。製作年代からいって小平物語は壽齋記及び甲陽軍鑑より更に新しいのであるから、前者が後者の焼直しである事は明瞭である。内容的にいってもその事は論証される。即ち

壽齋記の

「二木豊後、舎弟土佐、三男六郎右衛門、兄弟三人也、豊後子萬太郎、土佐子萬五郎、弟源五郎兄弟也、此源五郎は土佐二番目の子にて候、兄は草間肥前が養子に罷成りて、草間源五郎と申候」から

小平物語の

「二木豊後、同土佐、草間源五郎肥前養子、二木彌右衛門豊後実子壽齋事」（筆者註、壽齋記に壽齋長じて彌右衛門と改名する記事がある）

が出ている事が解る。壽齋記が自分の一族を特に詳記するのは肯ける。然るに小平物語が他は大部分ただ姓のみであるに反し、二木の一家を例外的に名を挙げているのはいうまでもなく借用だからである。即ち一方において適当な性質を他方がただ盲目的に踏襲した形跡のある時、よくその借用を物語るという原則の頗る適切な一例である。その他なお仔細に見れば小平物語の上の記事が他の両書から借用している点のいかに多いかをよく看取できるのである。その事は小平物語自身が若干物語っている。即ち上の文の最後のところに「是は我等小笠原古信濃殿

御家中にて聞及也」と書いてあるのである。

次に岩岡家記の「天文巳五月長時公晴信公の御取合の時」の巳五月は十四年五月であり、甲陽軍鑑の「天文十四年乙巳五月二十三日」と親近があろう。それは後に述べる如くこの戦は十四年五月では無かったのであるから、かくの如く誤の一致する事は従属性のある証拠となるのである。この場合この書の最初から上に掲げた文句があったか、それが笠系大成編輯の時迄の攙入であるか、それとも巳五月のみが変形であるかの疑問が起る。それについてはこの文がこの筆者の祖父の戦死を伝えている個所であり、主君に対して最も宣伝的効果のあるところであるから、やはり最初からの形であると見るが合理的であろう。但し、「巳五月」だけの攙入も考えられる。上述の如くこの書の一写本が六万石史料に載っているがそれには不思議にもこの「天文巳五月」が「天文十八年酉五月」となっている。これは明かに攙入である。即ち先に例をあげた如く年号を入れた事が註釈的である外、五月がついているによって知られる。十四年五月なら甲陽軍鑑の親近として必然性がある。十八年五月は意味をなさない。これは思うに溝口家記がこの戦を十八年にしているに合せて、巳五月を十八年五月と修正したのである。この点からいえば巳五月とあるのがその部分だけ古く攙入する可能性もあり得るのである。とにかくそれが最初からにせよ後の攙入にせよ、岩岡家記の天文十四年五月は甲陽軍鑑の記事と親近関係にある事を認め得るのである。但しこの場合の親近関係は史実の確定後に始めて推定される事である。それ迄は陳述の相一致する場合にほかならない。ここにその親近を定めるのは順序転倒であるが、後の手続を便宜上ここに纏めたのである。

最後に壽齋記と甲陽軍鑑との間に親近関係は存在しないか。これについて両者がこの戦をともに天文十四年としている事は前の場合と同じくこれだけでは陳述の一致であり、史実の決定するまでその従属性を定める根拠とならない。然るにこのほかにも若干の親近を示唆するものが指摘されるのである。一二の例をいえば、甲陽軍鑑の長時没落の条に、

　小笠原長時いづ方にても他所において少の所領につき、武田の家に堪忍と信玄公被㆓仰出㆒候へ共、長時申さるゝは、元来武田小笠原兄弟の事、武田は

兄なれ共甲州に居る、小笠原は弟なれ共都につめ、公方様御下に近く罷在候間、武田より万事手うへなりつると申来り、長時が代になり武田の被官になる事中々に及ばず候とて上方へ牢人なり。

とあるに対し、壽齋記にも同じく長時亡命の前の事として

晴信公より小笠原愬庵を以て、武田の旗下に御随身候者、一門之儀に候間、御如在被レ成間敷由被二仰遣一候、御屋形被レ仰候は、昔より武田小笠原とて兄弟たりといへども、在京して院に宮仕奉り、武田より上手の小笠原、只今長時が代に武田の被官になる事思ひもよらずと返答被二仰遣一候、同年十二月晦日大歳の夜、忍びて中洞を御出被レ成候

と記しており、頗る類似した記事がある。もっとも甲陽軍鑑では長時は天文二十二年に深志を落ちて上方へ亡命するのでその時の事となっており、壽齋記では天文二十一年晦日に二木氏の山城中洞（又は中東とも書く）を落ちて越後へ逃亡するのでその時の事となっていて完全には一致しない。しかし上の如き一致は両者が直接の親近がある場合か、乃至は間接の親近即ちこの文字的或は口頭的伝承を

両方で第三者から借用しているか、乃至は一方が第三者を経由して他方に伝わる場合かが当然考えられるのである。

更にそれ以上不可思議な謎がある。それは壽齋記に山本勘助が飛び出す事である。即ち長時亡命の後二木氏は信玄に降服したが、長時がこの一族の擁護により、飛驒の国に隠れているという讒言があったので、山本勘助は信玄の命により普く飛驒の国を探した後、その事の虚構である事を復命したという記事である。山本勘助は甲陽軍鑑によって吹聴されて始めて大物となった人物であるとは諸家の考証した所である。この人物に長時捜索の如き大役を振っているのは、正しく甲陽軍鑑が壽齋記の背景になっているのであるという推定が一通り成立するのである。

然るにここに至って他の厄介な問題に衝突する事となる。それは田中義成博士の考証によれば甲陽軍鑑の世に行われるに至ったのは寛永の頃である。然るに慶長十六年の日附のある壽齋記に山本勘助が出て来る。これを何と説明すべきであるか。それには次のいずれかの可能性を認めるほかないであろう。

㈠　壽齋記の山本勘助の項の攙入を認める事、しかしこの記事は系統の異る笠系大成本、史籍集覧本、六万石史料の異本のいずれにも出ているのであり、軽々にその断定は許されない。
㈡　甲陽軍鑑乃至それに類似した書物は予想外に古く行われていたのであり、壽齋記に現われる上の記事はそれを反映するのである。
㈢　山本勘助の伝説は相当に古くこの地方にあったのであり、その事が壽齋記に現われ、また甲陽軍鑑はそれを発展させたに過ぎない。
㈡㈢ともに甲陽軍鑑に関する従来の考証の一部を覆す事となるのである。而して甲陽軍鑑がすでに慶長頃に行われていたとすれば、岩岡家記にある「天文巳五月」も初めから軍鑑を借用した可能性が生じ、これに関する問題は比較的容易に解消する事となる。壽齋記に一カ所出るのみでは山本勘助の話の事実性を許し得ないとすれば以上の如く考えるほかはない。これはここに解決し了するには余りに難問であり、大方の示教を乞う事とする。研究者が学問的功名心から不十分な材料で早く結論を立てる事は最も避くべきである。とにかく壽齋記と甲陽軍鑑とは特に山本勘助によって、ある点迄の親近関係を暗示されているといえるであろう。

可信性の批判　明かに借用史料である事の証明できるものについては、その可信性は問題とならない。それは独立の証拠力を有たないために除外さるべきものである。即ち小平物語の可信性はこの場合においては問題とならない。これは非常に誤謬の多い書物であるが、しかも全体としては若干の史料的価値があり、戦国から徳川初年頃における武士の生活について興味ある証拠を提供しているのであるが、上に見た如くこの事件に関してはその証拠力は皆無である。一史料の価値は固定的標準によって器械的に定められず、史料として採用される一々の場合について個々に考えねばならないことは先に述べた所であるがこれはその一例である。

次に古文書が遺物としての可信性は絶対的である事はいうまでもない。神使御頭之日記と妙法寺記の記事はともに同時代の人の見聞の記録である。そのことの観察の最初の伝承（Primäre Überlieferung）である。少くともこの種のもの迄はいわゆる根本史料（Ürquellen）とすべきものである。而して日記でなく年代記であるから記述の前後は不明であるが、対象とする事件からの空間的関係からいえば、前者の可信性の方が大である。前者の筆者の居所は事件の場所より四里程の距離にあり、しかもよくその峠を望見する事ができる。事件の印象が直接的である。これに反し後者の筆者は事件の場所より何十里をへだて、ある日時を経てその戦に関する報告を得たのである。経験が遥に間接的であり注意も前者程大であり得ない。それ故に錯誤の可能性が多くなり、公式的にはこの方の可信性が前者より少いと見るのが当然である。

以上を除けば壽齋記、溝口岩岡の両家記及び甲陽軍鑑が残る。これらには前述の如く親近関係の疑わしいものがあるが、それはこの場合なお未定であるから一応その価値を考えなければならない。壽齋記は関係者が六十年以上を経た時の回想録である。陳述が事件の直接の経験である点から頗る重んぜらるべきものである。但し頗る長い時日を隔てているために錯誤の可能性が大である事を注意しなければならない。溝口岩岡の両家記は直接関係者の子弟がその父兄から得た報告の再現である。而して同じく長い年月を経ている。経験が直接でない故に形式的には錯誤の可能性は更に大であると認むべきである。なお上の三書はともに自家を宣伝する副目的を含んでいる。その点からいずれも同様な虚偽の可能性がある。これらの要素のほかになお考慮に入れるべきは陳述者の素質である。即ち記憶力及び正直さが問題となる。長い年月を経た事である時、記憶力は無視できない要素である。而してこれらの要素を入れて考える時には、事件の直接の経験者の陳述が必ずしも間接のそれよりも錯誤及び虚偽が少く可信性が大であるとは限らない。それ故にかくの如き性質のものには決して簡単な器械的な標準を当てはめず、その陳述を採用する際、その可信性の制限的である点に十分の警戒を払って、個々の場合について吟味を加えてその採否を決しなければならないのである。

最後に甲陽軍鑑は前述の如く偽書であるが、偽書であっても史料としてまったく採用できない訳ではない。即ちこれは文献的遺物として重要なものであり、その意味で種々の場合に史料的価値を発揮するであろう。しかし陳述として見ればこの種類のものは甚だ厄介な代物である。その理由は方法的に次の如く説明できるであろう。

㈠　この種の陳述の内容には確かにある歴史的事実を含んでいる。それは著者が聞き集めた素材である。しかしそれは著者の直接経験でなく他人からの伝承である。伝承は人を経由するに従って変形する可能性をもつものであり、その最初の報告者が不明である伝承は最も警戒を要する性質をもつ。甲陽軍鑑の如きものは、内容に歴史的要素を含んでいる事は明かであるが、その部分も事件の極めて間接の伝承で、錯誤が多いと思われる性質をもち、容易に信用し難いのである。

㈡　この類の書物は一方宣伝的な性質のものであり、また一方広義の文学的作品である。それ故にそれは多分の利己的または芸術的目的からの虚構性を帯びている。従ってよしその中に若干の事実性がありとしても、それを作為的要素から篩《ふる》いにかける事が困難である。

これらの理由から甲陽軍鑑の如きものを陳述的史料とする事は躊躇しなければならない。しかしこれが採用できないとすれば問題はなお残っている。先にあげた二木岩岡の二家記は来歴からいって外形的には史料として採用さるべき形式を有している。然るに内容からいえばその中には甲陽軍鑑との部分的親近を疑うべき理由のあるものがある。而してもしこの親近が確実であり、しかも甲陽軍鑑の方が根本である時、その部分についての可信性評価は全然転倒する。それらの陳述に価値を認めるのはその形式的性質に相応する部分についてのみである。上の二家記の中には確かに特種的記事があり、書物そのものとしては無視できない史料である。しかし可信性が全体的には認められても、親近の疑ある部分についてては問題はなお未決定である。

解釈　以上の諸史料が何を証拠立てるかを言語的にまた内容的に解釈するのである。

㈠　上の古文書は天文十七年七月十九日午前六時に塩尻峠において武田信玄が何人かと戦った事を適確に証明する遺物である。これだけでは相手が誰であるかわからぬ。しかしそれは他の史料によって小笠原長時であったと解釈できるのである。卯の刻とあるので六時頃すでに戦が酣《たけなわ》であり、即ち非常に早朝の戦であった事が解る。

(二)　神使御頭之日記　これが上の史料中最も難解なものである。殊に「勝○に於て」としてあるは、その字が誤字を書いてそれを直した形になっていて読み難いためである。その上字句にも「田部籠屋」、「御柱宮移にさはられ」、「西之一族」等神社関係及び当時のこの地の社会的事情の基礎知識がないと理解できないものがあり、その上文章も表現が断片的且つ不完全で解釈が難かしい。その関係を十分に理解する事は困難であるが、この戦に最も必要な且つ疑のない点を摘記すれば左のようであろう。

(1)　四月五日に村上小笠原仁科（安曇）藤澤（伊那）の諸豪族が同盟して下諏訪迄侵入し放火して帰った。それで御柱祭は四月十五日に甲州方で曳いてきまり通りすました。

(2)　六月十日に小笠原長時が下諏訪迄侵入した。下社配下の人民だけで相手になって多数の敵を倒した。長時は二カ所負傷した。御柱祭に支障を来させた神罰であると評判された。

(3) 七月十日諏訪氏の西方の一族（西四郷の一族という）や矢島花岡の諸氏が武田氏の支配に対して反抗し兵乱が起った。十九日にその反乱者側が破れ皆放火された。その信玄が長時を勝○に撃破し、長時側が千余人戦死した。

この勝○とあるは不明であるがこれが古文書に塩尻峠の合戦とあるのを指す事は疑う余地がない。いま峠より隔たっている南方に勝弦という所があるがそれであるかと思う。文句を上の如く解釈した上で以上の事実の推移を見ればその中に頗る多くの重要な着眼点があげてある事が注意される。それは四月五日信玄の支配地たる諏訪に信州南北の諸豪族の侵入があり、小笠原は又六月十日に侵入し下社の人民と戦った。七月十日には郡内に武田氏に対する叛乱が起ったが七月十九日にまったく鎮圧された。その日塩尻峠に武田小笠原の両軍が衝突して小笠原が敗れたという順序である。これは無論全部内的に連絡があり、事件が上の順序に開展して行き、七月十九日を以て大段落となったのである。小笠原の侵入と郡内に起った叛乱とは勿論無関係でないはずである。また七月十九日の記事は叛乱の失敗を先に、武田小笠原両軍の衝突を後に書いてあるが、それは叛乱の事をその前に述べてあるため後が先になったのであって、両軍の衝突が古文書によってきわめて早朝であるところを以て見れば事件はむしろその逆であり、信玄は早朝まず長時を嶺上に強襲してこれに致命的打撃を与え、一方郡内の叛乱の掃蕩はその日悠々徹底的に行われたのであろう。而して信玄の来着はもとより七月十日以後恐らく十九日の僅か前と思われ、また戦争が早朝である所から見て長時もその日に出兵して来たものでない事は明かである。この史料は前述の如く神事の当番を記した余白に当年の事件を書付けたもので、できるだけ短かく断片的に要項だけ記入してあって事件の連絡を取る事が甚だ困難であるが、内容的にはこの戦に関する第一の史料であり、これを正当に解釈する事が、この戦の種々の関係を理解する最上の鍵となるのである。

妙法寺記、溝口家記、壽齋記、岩岡家記、甲陽軍鑑の上掲の文の文字的解釈は容易である。いま内容的にそれらの証拠立てる必要な点を摘んで見る。その中甲陽軍鑑は可信性が乏しいのであるが、なお部分的には事実を包含している事もあるべきであるから姑《しばら》くこれも加えて置く。

㈢　妙法寺記　天文十七年七月十五日信玄は長時が五千の兵を以て塩尻峠に屯したのを早朝攻撃し、これを全滅せしめた。（松本地方からの五千は頗る大なる数である。後年松本藩の水戸浪士と戦った兵力は四五百に過ぎなかった。）

㈣　溝口家記　天文十八年長時が信玄と諏訪峠（塩尻峠の別名）に数刻戦ったが、西牧三村両人の武田方への内応によって長時が敗北した。

㈤　壽齋記　天文十四年長時が信玄の勢力を諏訪から一掃しようとして出陣したが信玄の出兵によってその夜四ツ屋に駐屯し、翌朝塩尻峠に上って信玄の来攻を待った。午前十時から戦闘が開始され、長時側は五回甲州軍の攻撃を撃退したが、六回目に三村等の内応によって敗れ、長時の精兵は皆戦死した。

㈥　甲陽軍鑑　天文十四年五月二十三日午前十時小笠原木曾の連合軍は塩尻峠を下って、恰《あたか》も出兵して来た信玄の軍を逆撃したが、信玄は連合軍を撃破して六百二十九の首級を得た。

㈦　地理　地理が重要な史料である事は先に述べた。地理は遺物であり、ただこれを解釈する事によってのみ史料となるのである。塩尻峠は筑摩諏訪両郡の境界をなす所で、標高千米を僅に越している。しかし諏訪湖面すら海抜約七百六十米に達しているから、事実上峠自身は高くないのであり、江戸時代中仙道中ではむしろ頗る小峠というべきものであった。ただ甲府と松本との間においては唯一の峠である。天文時代の峠は徳川時代の中仙道の数町南にあり、この山脈の最低所を通り、現在古道《フルミチ》の名を残している。信玄の根拠地たる甲府よりは約十八里であるが、長時の林の城よりは僅に五里余に過ぎない。長時の領地からいえば、ここが突破される時もはや敵は直ちに城下に殺到する危険に陥るのであり、頗る重要な防禦地点である。峠の西側は長く緩かに、東側は短く急である。それ故にこの地点は東方からの攻撃に対する防禦においてははるかに有効である。この峠が戦場となった事は明かに長時が防禦的であり、信玄が攻撃的であった事を意味する。それは両者の兵力に関係があるであろう。信玄の兵力はすでに少くとも甲斐一円から徴集されて来るに反し、長時の兵力は大体僅に筑摩安曇二郡の武士群に過ぎない。それ故に信玄が全力を挙げて来る時、長時が防禦的となるのは当然である。峠が戦場となる時には必ずしも道路によって行われたのではないであろう。

即ち両者の戦略的必要から時に道路を無視した展開をなすべきである。御頭之日記に別な地名が出ているのはそれに関係するであろう。

史実の決定　史料を基礎として史実が決定される。まず戦の日時である。それは古文書によって、またそれに御頭之日記妙法寺記を傍証として天文十七年七月十九日早朝であった事が決定される。妙法寺記には七月十五日とあるが、それは史料批判において見た如く遠距離にあり、また直接の観察でないために起った錯誤であろう。但しこれは十九日という記述を何時か十五日と誤写した事も可能である。そこで古文書は幾通もあるが古文書相互すなわち遺物と遺物と一致し、また古文書と御頭之日記すなわち遺物と陳述と一致し、さらに御頭之日記と妙法寺記すなわち陳述と陳述とが大体一致することになる。他の一方溝口家記には天文十八年となっているが、これは一年の聞き誤りまたは覚え誤りであって六十年後の陳述には頗る有り得べき誤りである。さらに壽齋記、岩岡家記、及び甲陽軍鑑はいずれも天文十四年に戦のあった事を報じている。これは陳述と陳述との一致である。しかしてこれを採用する事となれば当然戦は同じ場所で同じ相手によって二回行われた事となる。それは異った二の陳述を相矛盾するものとせずして補足し合うものとする解釈である。東筑摩郡誌の如くその扱い方をした編纂物もないではない。それについて注意すべきは基礎的な史料においてただいずれかの一方を載せ、決して同時に両方を載せていない事である。上に見た如く全部の史料がただ一回の戦を報告している。それは即ちいわゆる「沈黙の証拠」であり戦がただ一度であった事を証明するのである。それ故にこれは相補足し合うものでなく相矛盾するものと見るべきである。相矛盾する二の陳述は必ず一方が誤でなければならぬ。而して十七年の戦は確実な証拠によって立証されるに反し、十四年の戦はその証拠に決して確実なものがなく、また同年の他の確実な事件即ち信玄の箕輪攻撃等と連絡しない故に、十四年は十七年を誤り伝えたのであると見なければならない。この事はすでに古人も気のついた事のようである。例えば甲陽軍鑑大全の如き、武田三代軍記の如き、まったく軍鑑を基礎としているにかかわらず、この峠における天文十七年七月十九日卯刻の戦を記している。これはこの戦の古文書を見てこれによらざるを得なかったのである（但し上の二書のこの戦の記事はまったく親近である)。

　壽齋記の如き当事者の陳述と雖《いえど》も錯誤があるべきは先に述べたところである。殊に況《いわ》んやそれは八十歳以上の老人の約六十年前の思出である。それに錯誤のある事は何の不思議もない。現に筑摩郡平瀬の落城は妙法寺記によれば天文二十年であるのに、壽齋記はこれを十八年としており、信玄が伊那の箕輪を攻撃したのは同じく妙法寺記によれば天文十四年であるのに、壽齋記はこれを十三年としており、諏訪氏の滅亡は天文十一年であるのに、壽齋記はこれを十四年としているのである。研究法的に問題となるのは十四年の戦の有無でなく、それに関する諸陳述の一致である。壽齋記はこの戦の際、諏訪の城代板垣信形が長時の応援のため天龍川方面に出兵した伊奈勢に当って敗北した事を記している。軍鑑にもこの事をのせているが相当に別個の立場から述べられている。信形は天文十七年二月上田原に戦死しているので、これが十四年の事とすれば差支えはないが、同年七月十九日の戦の時の事としてはまったく辻褄が合わない。これらの不思議の一致点からして更に軍鑑と壽齋記等との親近関係の問題が改めて注意される。然るに全体的に両書を比較すればその一致はむしろ頗る局部的である。一例として年代を取れば、諏訪氏の滅亡を軍鑑は天文十三年とするに対して壽齋記は十四年とし、桔梗ケ原の合戦を前者は同二十二年とするに対して後者は十八年とし、長時の亡命を前者は同二十二年とするに対して後者は二十一年としているのであり、年代の一致するは僅にこの戦のみである。しかもこの戦においては年のみならず巳刻という時間迄一致している。但しこれだけならば両書の出鱈目の暗合とも見られるのであるが、そのほかの局部的一致殊に前述の山本勘助によって両者のある程度の親近が示唆される。しかし両者の親近関係を断言するには、その一致は余りに局部的であり例外的である。要するに天文十四年説の根拠となる諸書の一致は史料批判の迷宮的難問を提出するものであるが、十四年の戦が誤である事は疑を容れないのである。

次に確実な事は信玄の勝利の決定的であった事である。妙法寺記の「悉小笠原殿人数を打殺し被レ食候」は誇大であるとしても、御頭之日記に「小笠原衆上兵共に千余人討死候」とあり、壽齋記に「御旗本衆能者共皆討死仕候」とあり、長時が致命的打撃を受けた事は明瞭である。両者の兵数及び戦死者の数は不明であり、記録の数字は必ずしも信用が置けないが、小笠原方は安筑二郡を挙る兵力を以て出兵して殆どその精鋭を失ったのである。(以上肯定)

信玄の敵手は小笠原木曾の連合軍であったとは甲陽軍鑑の記す所であるが、これは全然他の史料に現われず長時は単独で戦ったと解されるのである。この年四月、村上、仁科、藤澤の諸氏が長時と同盟して諏訪に侵入した事は御頭之日記によって知られるが、それらもこの戦には参加しなかったと解される。壽齋記に仁科が下諏訪攻撃の半ばにして陣を撤して去った事を長時の「御一代の可レ為二御分別違一と申候」と記しているのは最も可能性のある仁科さえ、この時長時と行動をともにしていない事を示すものである。

長時方の敗因として小笠原方の史料溝口家記、壽齋記は三村等の裏切りをあげている。これは相当に可能な事と見なすべきである。溝口家記と壽齋記には親近が認められず、しかも双方の陳述が一致しているのはこれを証するであろう。御頭之日記や妙法寺記が沈黙しているのは、それらがすべて極めて簡潔に記して、決して委曲をつくさないためである。これは武田方の工作によったのであろうが、敵の力を分裂させる事は信玄の慣用手段ともいうべきものであり、この際にも十分有り得た事である。殊に長時が要害に拠りながらあっさりやられたのはそれに関係があろう。

壽齋記に長時が先に諏訪に出兵し、信玄の到来によって若干軍を回し、この朝峠に上って敵の攻撃に備えたと記しているのは実情であろう。双方の根拠地の距離の関係から見て、また諏訪におけるこの時の叛乱から見てそれが当然であり、その上壽齋が当時若武者として一族と共に参加しており、この点迄も誤る事は万有り得ないからである。(以上蓋然)

歴史的聯関の構成　以上の如く史実が確定もしくは推定を見たので、これを当時の状態の発展の中に配合して、その全体的聯関を因果的に究明し得るに至ったのである。そのためにそれに必要な事項を年表的に列挙して見よう。

享禄元年―天文元年　　武田諏訪両氏屢々交戦

天文四年　　両氏和睦

同　六年	諏訪氏小笠原領に侵入
同　七年—八年	武田北條両氏屢々交戦
同　八年	小笠原諏訪両氏和睦
同　九年五月	武田氏佐久を侵略
同　　十一月	武田諏訪両氏婚嫁を通ず
同　十年五月	武田諏訪村上連合して小縣郡に侵入し海野氏を追う
同　　六月	武田晴信自立、信虎引退
同　十一年七月	晴信高遠と同盟、諏訪氏を亡す
同　　九月	晴信高遠を破る
同　十四年四月—六月	晴信伊奈の箕輪（藤澤氏）を攻む、質を取って和睦
同　十五年八月	晴信佐久の志賀城を陥る
同　十六年	晴信二回信濃に出兵

同　十七年二月　晴信村上義清と上田原に戦って敗北
同　　　七月　塩尻峠の戦
同　　　九月　晴信佐久の諸将を破る
同　十九年九月　晴信小縣郡戸石城を攻む
同　二十年十一月　晴信筑摩郡平瀬城を陥る
同　二十一年　晴信安曇郡小岩嶽城を陥る
同　二十二年八月　村上義清越後に亡命

以上は妙法寺記その他によって摘記した史実であり、当時の形勢の推移の輪廓をなすものである。それについて考察すれば、天文四年その時まで敵対関係にあった武田諏訪両氏が和睦し、諏訪氏は小笠原氏に当り、武田は北條氏と戦い、また天文九年十年佐久方面に出兵した。十年武田信虎が海野氏を攻めた時村上諏訪両氏はこれと行動をともにした。即ち武田信虎は天文四年より十年に亘って諏訪氏と交誼を結んで一方北條に当り、一方佐久方面の経略に着手したのである。しかるに信玄は天文十年自立の後直ちに父の政策を変更し、高遠等と同盟して突如諏訪氏を襲ってこれを亡ぼしその地を奪って信州経営の中心的立脚地をつくり、更に高遠を破りまた箕輪を攻めて先ず第一に伊奈方面に進出し、更に天文十五年以後三年に亘って佐久小縣方面に鋒を転じ、遂に村上氏の居城を衝く形勢を示したのである。然るに天文十七年二月十四日村上氏の居城に近いいわゆる上田原の合戦において村上氏と戦って破れ、多く武功の宿将が戦死した。この敗戦は妙法寺記に「甲州人数打劣け、坂垣駿河守殿、甘利備前守殿、才間河内守殿、初鹿根伝右衛門殿、此旁打死被レ成候而御方は力を落し被レ食候」とある如く、信玄自立以来の無人の野を行く如き信濃経営を蹉跌《さてつ》せしめるものであった。従来信玄の鋭鋒に当り兼ねた信州の諸豪族は晴信与し易しとしていまやいっせいにこれを反撃しその侵地を奪おうとした。先に引いた御頭之日記に現われる四月以後の事件はこの事情を反映するのである。即ち村上小笠原仁科藤澤諸氏の同盟が成って四月諏訪に侵入した。箕輪の藤澤氏は先に信玄に囲まれ質を出して僅に和したが、いまやまたその地位を回復しようとするに至ったものと解される。また小笠原長時は信玄の勢力がすでに山一つ彼方の諏訪に確立し、更に伊那に入って藤澤氏に逼《せま》ったので、小笠原氏はその羽翼をそがれる形勢となり、頗る晏如たるを得ない状態にあったことが察せられる。従って長時は信玄の敗戦を利用して諏訪を奪い、兼ねてそれによって武田方の勢力を信州から一掃しようと計画したのは当然である。それが四月以後長時の三回もの諏訪侵入となったと思われる。諏訪諸氏の叛乱も従来武田氏の武力の前に慴伏《しょうふく》していたのが、いまやこの羈絆《きはん》を脱しようと試みたものにほかならず、またこれには小笠原の手が大に動いていたことは、その叛乱に際して長時が出兵していることによって看取される。更に妙法寺記によればこの年八月佐久の諸将が武田氏の部将小山田と戦っているのも、その記事の書き方によって判断するに、一度屈服したこの方面の諸豪族が信玄の諸方に敵を受けるに至った機を利し、連合して反噛を試みたことが察せられる。

以上の推測は全部は当らずと雖もほぼ当時の実情に近いといっていいであろう。要するに上田原の戦において武田氏の信州における地位が危険を感ずるに至ったことは明かである。諏訪が動揺し佐久が動揺し、而して信州諸将の反武田同盟が成立した。信玄はある程度まで再び出直さなければならない立場に陥ったのである。而してこの形勢を一変せしめたのがこの戦である。

信玄は諏訪の叛乱を聞いて急遽出兵し、恰も侵入していた長時を塩尻峠に撃破した。小笠原氏は家格的にまた地理的に信州諸将の同盟の中堅である。小笠原にして倒れれば村上仁科藤澤の合縦の如きは支離滅裂たらざるを得ず、況んや諏訪の叛乱の如きをやである。戦略的に見てまた政略的に見て小笠原長時に打撃を与えることは、この時の信玄に取って最も必要なまた最も機宜に適した処置であった。それは恰も一方の小石が囲まれた時それをしばらく放棄して敵の中央の大石を攻め、これを殺して局面を転換した碁戦の名手に比すべきものである。

塩尻峠の戦によって小笠原氏は針なき蜂となった。信玄はこの方面の地盤を堅めた後、九月迅速に佐久に出兵し小山田を苦しめていた敵を殲滅し、田の口城を屠《ほふ》って「佐久ノ大将ヲ悉ク打殺ス、去程ニ打取其数五千許、男女生取数ヲ不レ知」（妙法寺記）と記されている如く、またこの方面の地盤を堅めるに成功したのである。実にこの年は信玄に取って失敗と成功と二つながら著しい年であり、それ以後侵略の歩は着々として進んだのである。

歴史的意義の把握　信玄の戦争史においてまた信州諸侯の歴史において塩尻峠の戦の意義は大である。この一戦によって信玄の信州併呑は決定的となった。この戦にして勝敗を異にすれば信玄は父信虎の代より約十年の間漸次蚕食《さんしょく》したこの国の領地を放棄するの止むなきに至ったであろう。彼は上田原に失った所をここに回復したのである。一方信濃の守護として名門を誇った小笠原氏はこの嶺上にその伝統的地位を失った。これ実に小笠原氏の長篠である。この戦以後の長時の運命は最も哀むべきものであった。即ちこの峠は彼がやがて林の居城をすてて走り、数年後にはうらぶれて他国に亡命し、或は京都に行き或は越後に行き、最後に奥州会津において非業に死するまで、三十余年の全国的放浪生活への門出であった。独り小笠原氏のみならずこの戦の後において信州諸豪族の意気はまったく銷沈した。彼等はただ塁を高くし堀を深くして、専心自己の居城を守るのほかなきに至ったものの如くである。妙法寺記によるも天文十七年以後川中島の対陣まで、この国における信玄の戦はもはやまったく攻城戦となり、戸石の如き平瀬の如き小岩嶽の如き要害の次第に陥落した事を録しているのみであり、上田原塩尻峠の如き野戦の記録を見ない。それは殆ど記録すべきものの存在しなかったことを意味するであろう。

上田原に信玄を逆撃して万丈の気を吐いた村上義清もその後孤掌鳴らすに由なく、天文二十二年に至り「此年信州村上殿八月塩田ノ要害ヲ引ノケ行方不レ知ナリ候、一日ノ内ニ要害十六落申候」（妙法寺記）というが如き貧弱な没落をなしているのである。

武田氏は名門ながら信玄自立の時においては北條今川の如き強大に比してむしろ頗る微力な存在であった。それらに対抗する素地を作るにおいて彼は信州に真に誂向《あつらえむき》の舞台を見出した。即ちそこには中世的小勢力が割拠してなんらの団結がなく、甲州にとって最も抵抗力の小さい方面であった。而してこの地域を併呑するに及んで武田氏は東日本における恐怖となり、上杉、北條、今川、織田、徳川の諸雄を圧迫するに至ったのである。彼の基礎的地盤開拓の工作においてこの戦は頗る大なる役割を担ったものであった。天文十七年七月十九日青春二十八歳の彼武田晴信がこの峠の嶺上に立って英姿颯爽遥に日本アルプスの偉容を望んだ時、他日「関東の弓矢柱」として戦国の群雄を脅威した輝かしい将来が約束されたのである。

附記　天文十七年七月十九日は西洋紀元の一五四八年八月二十二日に当っていた。しかしそれは当時のジュリアン暦であるので、これをその世紀の末から採用されたグレゴリー暦即ち現行太陽暦に換算すれば同年九月一日となる。而して九月一日の東京における夜明けは午前四時三十九分、日出は同五時十二分であり、この戦場の辺ではそれより五分余り遅れるのであるから、夜明けは四時四十五分頃、日出は五時十八分頃である。これは信玄がその前夜どこに宿営したか、即ちその朝どこから軍事行動を開始したかを考えるに多少の手がかりとなる。信玄が甲州から出兵して来て本営とすべき地点は第一に上原城である。それは御頭之日記に此年二月十四日の上田原の戦の事を載せ、「甲州ヨリ此方之郡代ニ上原城ニ在城候坂垣駿河守殿討死、其舎弟室住玄蕃允殿三月ヨリ此方ニ在城」と記してあるところから見て、信玄が到着後ひとまずこの郡代室住玄蕃允の拠っていた上原城に落付く事が当然と考えられる。しかし七月十九日の朝此処から出発したのでない事は推察できる。六時頃に戦闘が酣であるにはすでに少くとも夜の二時前に上原城を立たなければならないからである。上原でなければその夜の信玄の宿営地は下諏訪であろう。当時社寺は相当な軍事的勢力であり、諏訪神社下社が一武力であった事は、六月十日に長時が攻めて来た時「下宮地下人許出相」かなりな抵抗力を示している事で知られる。而して下社は天文十一年にすでに信玄の与党となって諏訪頼重を亡ぼす事に手伝っている。その時のことを記した守矢頼眞書留に「同廿四日（註、六月）甲州高遠下宮方同心にて打入候由酉刻につけきたり候」とあるによって明瞭である。蓋し信玄は諏訪氏を倒すにまず高遠及び下社を薬籠中のものとしたのである。それで十七年の四月五日に村上小笠原仁科藤澤の連合軍が下社迄押寄せて乱暴して帰ったのも、六月十日に長時が下社を攻めたのも、信玄の味方たるこの神社を脅かしたことにより、明かに信玄に対する敵対行為であり、下社はこの方面における武田方の最前線をなしていたと解される。信玄が上原城から前進すればこの線まで出るのが定石であろう。下諏訪辺に夜陣を張れば、少くとも夜の白々明け即ち天文学でこの日の夜明けと呼ぶ四時四十五分頃軍事行動を起さなければ六時前後に戦う事はできない。下諏訪の辺から恐ろしく早く進発したとして、漸く卯刻の合戦というのに間に合うのである。それならばその夜小笠原方は壽齋記に「長時公は其日は諏訪の内四ツ屋と申処へ御馬を上げられ候」とある通り、峠下に陣取っていた筈であるから、両陣営は約一里をへだてて相対峙した事となる。思うに両軍共興奮と緊張とに眠る間もない重苦しい一夜であったであろう。

九月一日頃山国は初秋の気がすでに十分に漂っている。しかし日盛りにはなお相当に暑い。信玄は一つにはこの時候の戦争として攻撃能率の最も高い、夜明けの涼気爽かな時を選んだものと解される。ここに補助学科としての年代学の応用の一例がある。以上は史料の解釈乃至史実の決定の項において述べるべき事柄であったが、その記入を落したのでここに附加えて置くのである。

補正　他の科学に於ても同様であると思うが、史学の研究においては、各題目について一通り研究が終了しても、その中になお補正すべき不完全な個所を残しており、更に一層考察すれば、それが次第に注意されて来る場合が多いのである。史学の研究において補正を必要とする場合は、殊に新しい史料の発見されたか、または一応見逃した史料が、新に注意されて来た場合である。先に引用した実例においても、その種の点が気付いたものがあるので、その類の補正も研究法の一例としてここに加えて置く。天文十七年七月十九日の塩尻峠の合戦に関係する史料として、先に列挙したもののほかに、なお次の二三がある事が気がついた。

一、安筑史料叢書古文書集成上巻に載せられた二三三号の文書に、

今十九卯刻於㆓信州塚魔郡塩尻峠㆒一戦之砌、頸二ツ討捕之条、神妙之至候、弥可㆑被㆑抽㆓忠信㆒事肝要候、仍如件

天文十七年　戊申　七月十九日　晴信　内田清三殿

という先に挙げた数点の文書とほぼ同文の晴信の感状がある。これは結論に何も加えないけれど重要史料の補遺として加えて置くべき一である。

二、諏訪史料叢書巻十五上社神長官家文書に集められた六十四条の天文二十二年十一月の守矢頼眞書状中に次の文句がある。

去戊申七月十日之乱に御馬、同十八日に上原へ御着候時も長坂殿馬御使御祈禱之儀被㆓仰付㆒候間是も夜すがら拙者一人にて致㆓祈禱㆒候処相叶塩尻之御

一戦思召儘候

先にこの戦の事を書いた中に、信玄の諏訪上原への来着は七月十日以後恐らく十九日の僅か前の事と思われると想定して置いた。それがこの頼眞書状によって正しく先の推察の通り合戦の直前十八日の到着であった事が知られる。思うに武田軍は急出陣全く猶予なく嶺上の小笠原の本陣を急襲したものである事がわかったのである。

三、同書同神長官家文書一四二にも神長官訴状覚書案

これは相当に長い文書でそれは全体として難解の点の多いものであるが、その中に

七月十九日卯刻に甲□塩尻峠に押寄処ニ峠の御陣ニ者致㆓武田㆒人一人も無㆑之過半者不㆓起合㆒体に候

という文句がある。この文書は諏訪社のいわゆる五官の一人たる神長官が同副祝

と争い事があってずっと後になるが小笠原家へ訴え事をしたものの案文である事が察せられる。小笠原家復活後上の文句によって甲州勢が七月十九日峠の上の小笠原勢をいわゆる朝がけによって急襲した際小笠原方は全然無用意で、早朝不意討を食ったものである事が判断される史料である。先にこの時の事を考証したのは一に二木壽齋記によったのであった。それによって夜明けて諏訪峠に陣を取った事を真に受けたが、この文書によれば大いに事情は変って来、小笠原方は初めから嶺上に陣取っていて不意に寝込みを襲われた事になる。以上の点で両史料のいう所がまったく矛盾しているのである。壽齋記は当時の体験者の記録であり、神長官の訴状はそれに反して戦の直接体験者ではないのであるが、壽齋記の記事は老人の記憶によっており、宣伝的要素が多く案外に信憑性が乏しいもので訴状は訴状というものの性質として、よい加減の事をいうべきでない真剣のものであるべきであるから、或はこの方が真実ではあるまいかと思われる。この訴状の書かれた当時小笠原方にはよく事情を記憶している者があり、いい加減の事は書けなかったはずである。少くともこの史料によって、先に記した嶺上の合戦の実情には若干疑問をもたなくてはならないものがあると考える。これに連関してこれは史料の価値にただ時所人というような形式的標準で、簡単に決定すべきではないとすべき一個の実例となし得ると思うのである。

私は講座の本稿の末尾に「本稿成って後最後の節に関して守矢文書中の守矢頼眞書留及び神長官訴状覚書案によって、尚多少明瞭にし得る点、又考察すべき点があることに気付いたのであるが、印刷後で最早間に合わなかったので、後の機会を俟つこととした」と追記して置いた。この補正はその追記に応じたものである。

解説　「転回以前」の歴史学？　――古典的歴史学方法論・入門

松沢裕作

一　「新しい歴史学」と「古い歴史学」？

歴史学は保守的で変わらない学問だと思われているかもしれない。しかし、実際には、歴史学者は、単にその知見のみならず、研究方法論においても新規性を競うことが少なくない。歴史学の歴史において「新しい歴史学」を称する研究潮流は枚挙にいとまがないほどである。

新潮流の登場は、しばしば「転回」turnという語で呼ばれる。アメリカの歴史学者、グルディとアーミテイジによる著書『これが歴史だ！　21世紀の歴史学宣言』の索引には、英語圏の歴史学界で使用された一三もの「転回」の用例が挙げられており、むしろ、彼らは「「転回」に対して疑義を抱き」「回帰《リターンズ》の重要性を考える」ことの必要性を説いているぐらいだ。[1] もっとも人口に膾炙《かいしゃ》しているのは、「言葉は現実を映すという常識的考え方とは正反対の、「言葉が人の意識や社会の現実を創り出す」側面に注目」する[2]「言語論的転回」であろう。言語論的転回は、歴史学のみで使われる用語ではなく、ソシュールの影響を受けた現代思想の潮流一般を指す用語だから、歴史学が、同時代の思想潮流の影響を横目に見つつ新しさを打ち出そうとするという点でも、歴史学における「転回」の一つの典型例でもある。

興味深いのは、つぎつぎと現れる新しい歴史学のなかで、いずれからも「古い」歴史学とみなされ続ける歴史学の方法が存在することだ。それは、一九世紀に活躍した歴史学者、レオポルト・フォン・ランケを始祖とする、ドイツ由来の古典的政治外交史、そしてランケの後をうけてドイツの歴史学者たちが体系化した古典的歴史学方法論である。

歴史学方法論の書物としてもっとも著名なものの一つに属する、E・H・カー『歴史とは何か』（一九六一年）のなかで、カーは次のように述べている。[3]

L・ランケは一八三〇年代に、従来の教訓をたれる歴史書を正当にも批判して、歴史家の仕事とは「要するにことは本当のところどうだったのか（wie es eigentlich gewesen）を明らかにすることである」と申しましたが、この大して深みのあるわけでもない警句は目覚ましい効果がありました。ドイツ、イギリスばかりでなくフランスの歴史家までが、三世代にわたって一斉に「ことは本当のところどうだったのか」という魔法の呪文をとなえて研究にいそしみ、――たいていの呪文がそうですが、自分の頭で考えるというやっかいな責務から免れたのです。

このように、新しい歴史学が登場するときには、しばしばランケ以来の歴史学なるものが否定の対象となる。ドイツ古典歴史学方法論は、数々の「転回」を生き延びる不死身の仮想敵なのである。

ところが、常に新しさが求められる研究や出版の世界で、その不死身の古い歴史学を学ぶ機会は案外少ない（そもそも、ランケの主要著作には完全な日本語訳すらない）。学ぶ必要はないという立場もあるかもしれないが、不死身の仮想敵の正体を知らないままでは、ターンをしたつもりが無自覚的にリターンをしただけだったり、「車輪の再発明」に陥ったりしないとも限らない。

本書、今井登志喜『歴史学研究法』の「序説」で触れられているように、古典的歴史学の方法論の体系的なものとしては、ベルンハイムの『歴史学方法教本』Lehrbuch der historischen Methode（一八八九年）があり[4]、これの縮約版である『歴史学入門』Einleitung in die Geschichtswissenschaft（一九〇五年）は、岩波文庫版の日本語訳『歴史とは何ぞや』[5]として長く読まれている。また、同じく「序説」で触れられている、フランスの歴史家セーニョボス、ラングロアによる方法論書にも日本語訳がある[6]。

これらに対して、本書、今井登志喜『歴史学研究法』が持つ特徴として、第一に、簡潔にまとめられているため、古典的歴史学方法論の要点をつかむことが容易である点が挙げられる。第二に、ベルンハイム、セーニョボスおよびラングロアだけではなく、それに先行するドロイゼン、それに続くフェーダー、バウアーなどの方法論書を比較し、論点を整理しているので、それぞれの議論の特徴や、それらに共通する要素を知ることができる。第三に、例として挙げられているものの多くが日本史上の出来事であり、日本語読者にとっては比較的なじみやすいものである。

以上の理由により、本書は、いわば、古典的歴史学方法論への入門書として価値が高いのである。

本書、今井登志喜（一八八六〜一九五〇年）の『歴史学研究法』は、一九四九年、東京大学協同組合出版部から刊行された。「序」にある通り、その原型は一九三五年に岩波書店から、「岩波講座日本歴史」の一編として刊行された「歴史学研究法」である。岩波講座版と一九四九年版の相違は、岩波講座版には、波間右近進宛武田晴信感状（本書九七頁。以下ページ数のみを掲げる場合は本書のページ）の写真があること、一九四九年版では末尾に「補正」が追加されている点である。一九四九年版「補正」には、「講座の本稿の末尾に「本稿成って後最後の節に関して守矢文書中の守矢頼眞書留及び神長官訴状覚書案によって、尚多少明瞭にし得る点、又考察すべき点があることに気付いたのであるが、印刷後で最早間に合わなかったので、後の機会を俟つこととした」と追記して置いた。」（一五〇頁）という記述があるが、ここで触れられている「追記」は少なくとも岩波講座版の第一刷と思われるものには見いだせない。私は残念ながら岩波講座版の第二刷以降と思われるものを確認できていないが、おそらくはこの「本稿成って後」云々の文言は岩波講座版第二刷以降に付け加えられたものと考えられる。

『歴史学研究法』は、今井の没後、一九五三年に、東京大学出版会から「東大新書」の一冊として再刊された。その際、各章に副題が付され、もともと「補助学科」とされていた第二章が「歴史学を補助する学科」と改題されている。今井没後の刊行なので、これらの改訂は今井の手によるものではない。また、一九四九年版の「序」で「東京大学協同組合出版部」と書かれていた部分が「東京大学出版会」と改められている。東京大学出版会の発足は一九五一年なので、一九五〇年に没した今井の「序」に「東京大学出版会」が登場するのは本来奇異であるが、これは上述のような本書の成り立ちによる。ただし、岩波講座版から一九五三年版まで、本文の内容に大きな変化はない。さらに一九九一年におなじく東京大学出版会から新装版が刊行されているが、これは一九五三年版の復刻である（本書の底本は一九九一年の新装版）。

二　今井登志喜の生涯と学問

本書の著者今井登志喜は、イギリス社会史・都市史を専門とする西洋史研究者である。昭和戦前期から戦中の東京帝国大学文学部の西洋史研究・教育を担い、戦時期に文学部長をつとめた。今井に関する関係者の回想の多くは、彼の人格者ぶり、また「談論風発」といった評で一致を見せる。

今井は、一八八六（明治一九）年六月八日、長野県諏訪郡平野村今井（現在の岡谷市今井）に生まれた。[7] この集落は塩尻峠の東麓に位置する。実は本書で「方法的作業の一例」として取り上げられている塩尻峠の合戦は、今井の故郷の歴史的事件であった。この点についてはのちに詳述する。なお、今井と同時期に東京帝大西洋史学研究室で教鞭をとったドイツ中世史家山中謙二も諏訪の出身である。[8] 今井は、長野県立諏訪中学校、第一高等学校を経て、一九〇八年に東京帝国大学文科大学に入学した。

一高では終生の友人かつ同僚となるフランス文学者の辰野隆《ゆたか》と出会っている。今井と辰野が知り合うきっかけは、やはり一高同級生の谷崎潤一郎だったという。[9] このエピソードからも知られる通り、今井は当初文学を志していたようだ。しかし、後年の回想によれば今井は「簡単に言へば私には芸術にたづさはる素質なしといふ事を悲しくも自覚」した。彼が「小説やドラマは解るつもりで居たが解つたのは芸術ではなくてその中のストーリーの面白味」だったというのである。彼が「面白い」と思っていた「ストーリー」は、「芸術的」なものではなく「一回的特殊的なもの即ち歴史的なもの」であるという判断のもと、彼は史学を志すことになる。[10]

一九一一年に東京帝国大学文科大学史学科を卒業。卒業論文のテーマはアイルランド自治問題であった。テーマ選択の背景には、前年の日韓併合があったという。[11]一九二〇年、第一高等学校教授となり、一九二三年四月に東京帝国大学助教授、文学部史学地理学講座担任となった。同年五月からイギリス、ドイツ、フランス、アメリカに留学して、一九二六年帰国、一九三〇年、教授に昇格した。

一九三六年には、東京帝国大学評議員となるが、今井の生涯において特筆すべきは、評議員在任中に、いわゆる「平賀粛学」につながる経済学部の教員間紛争に関与したことである。当時の東京帝大経済学部では、土方成美《ひじかたせいび》ら国家主義的な「革新派」と、大内兵衛《ひょうえ》らマルクス主義者、河合栄治郎ら自由主義者とのあいだの派閥的対立が激化していた。大内は一九三八年にいわゆる「人民戦線事件」で検挙され、休職処分となる。その後、一九三九年に平賀譲《ゆずる》総長は、喧嘩両成敗的に土方、河合を休職処分に処す（「平賀粛学」）。今井がこの間、反土方の立場、かつ平賀粛学につながる方向での「解決」を目指して、評議員として尽力したことには、教え子であり、当時西洋史研究室の副手であった林健太郎によるものをはじめとして多くの証言がある。[12]

その後、一九三九年に文学部長に選ばれるが、在任中の一九四一年、肺壊疽《えそ》のため入院する。このころから体調を崩しがちとなるが、一九四二年文学部長に再選。一九四四年四月、脳溢血のため文学部長を辞職するまで、学部長として戦時の文学部を束ねる重責を負った。一九四七年、定年により東京帝国大学教授を退任し、その三年後、一九五〇年三月二一日、心筋喘息により東大病院で死去した。享年六三であった。

今井は、病気がちの後半生に多くの学内行政職を担ったこともあり、研究業績を自ら著書としてまとめることはなかった。主要著書三冊はいずれも晩年ないし没後に、教え子がかかわって出版されたものである。一冊目は『英国社会史』[13]で、学生の講義ノートをもとにまとめられたものである。一九五三年、教え子の田中正義、大野真弓、中村英勝らが補筆・改訂して、再訂増補版が出版されている。[14]二冊目は『近世における繁栄中心の移動』で、これも東京帝大文学部での講義をもとにしたもの。[15]三冊目は『都市発達史研究』[16]で、これは没後の出版。生前発表された都市史に関する論文を村川堅太郎が中心となってまとめた論文集である。

い。

三 『歴史学研究法』の特徴

さて、それでは本書『歴史学研究法』の特徴を、本書の構成に即してみてゆきたい。

「一 序説」では、既に述べたような、ヨーロッパの歴史学方法論書が紹介される。今井は、歴史学方法論書の多くは「大体ドロイゼンが提起しベルンハイムが拡張した輪廓に基くといえるのである」（一三頁）と述べている。ランケや、ランケに影響を与えたローマ史家ニーブールは体系的な方法論を残さなかったため、ドイツにおける歴史方法論の体系化の端緒をドロイゼンに見て、それをベルンハイムが継承したという立場をとるのである[17]。

「二 歴史学を補助する学科」では、混乱をきたしがちな「補助学（科）」という用語とその位置づけについて、ベルンハイム、セーニョボスおよびラングロア、フェーダーの議論を比較し、フェーダーに準拠しつつ、それ自体独立した学問でありながら、その研究成果ないし手法が歴史学にとっても有用であるような学問（天文学、地質学、考古学など）と、歴史研究のある局面で用いられる技術的知識の体系である学問（古文書学、印章学）などを分けて考えるべきと整理している。

「三　史料学」では、史料の分類が論じられているが、ここでもドロイゼン、ベルンハイム、フェーダー、バウアー、セーニョボスおよびラングロアの議論が比較される。

とりわけ注目されるのが、ベルンハイムの「遺物」「報告」、フェーダーの「物的史料」「陳述史料」という区別を紹介しつつ、一つの史料は機械的に一つの分類に当てはめることはできないことを強調している点である。

フェーダーによれば「物的史料」とは「史料と歴史的対象とがただ本体論的整頓(Ontologische Ordnung)において結合」したもの、「陳述史料」とは「史料と歴史的対象とが論理的整頓(Logische Ordnung)において結合するもの」であるが、今井自身が、「これは頗る難解な表現」と述べている通り、やや難しい(二八頁)。

しかし、この点は、ベルンハイムの「遺物」「報告」の区別も含め、古典的歴史学方法論の要点であり、また今日なお価値を持つ箇所であると思うので、やや立ち入って補足的説明を加えたい。

論旨を明快にするために、こうした区別の原型になったドロイゼンの議論を紹介するところから始めてみよう。本書にある通り(二七頁)、ドロイゼンは、歴史的材料（Historisches Material）を遺物（Überreste）、史料（Quellen）、紀念物（Denkmäler）の三つに分類したが、問題なのは「遺物」と「史料」の別である。ドロイゼンによれば、遺物とは、歴史研究の対象となる時代・出来事から「媒介されることなしに残されている」もの、史料とは、歴史研究の対象となる時代・出来事から「人間による表象Vorstellungの形に移されたり、記憶するという目的のために伝承されたりしたもの」を意味する。[18] Quellenは英語でいえばsourceであり、「情報のソース」というような日常用語の「ソース」、つまり「出所」「源泉」といった意味である。ドイツ語Quellenは日本語で「史料」と翻訳されるのが通例だが、ドロイゼンにおいては、現在一般に使われる「史料」よりも（またベルンハイム以降のドイツ語歴史方法論書よりも）、Quellenの意味が狭いことに注意しよう。ベルンハイムは基本的にこのドロイゼンの区別を踏襲しながら、「史料」Quellenの意味を、歴史研究の材料一般を示す上位の概念としたうえで、「史料」を「遺物」と「報告」（Berichte）に分けた。

「遺物」という日本語からは考古遺物的なものを想像しがちだが、そうではなく、ドロイゼン以降の歴史学方法論における「遺物」には「書類」や「証書」などの文献も含まれることを強調しておきたい。[19]

たとえば、太宰治が芥川賞選考委員だった佐藤春夫に「芥川賞をくださいい」と訴えた、という出来事（「太宰の芥川賞懇願事件」と呼ぶことにする）を考えてみよう。これについては太宰治の佐藤春夫宛の手紙が何通か残されていて、その手紙の一つに、太宰は「第二回の芥川賞は、私に下さいまするやう、伏して懇願申しあげます」と書いている。その手紙が偽物でない限り、この手紙が残っていることそれ自体が「太宰が佐藤に芥川賞が欲しいと訴えた」という出来事そのものと結びついている。ドロイゼンが「媒介されることなしに」というのはこういう事態であり、「太宰の芥川賞懇願事件」という研究主題からみればこの手紙は、事件の直接の結果として残された「遺物」である。

一方、この出来事に関しては、芥川賞の選に漏れた太宰が、佐藤があたかも太宰に賞を約束したかのように読める文章を発表し、これをうけて中条（宮本）百合子が佐藤春夫を批判、佐藤春夫が「芥川賞—憤怒こそ愛の極点」という文章を著して中条百合子に反論するという事態が生じた。[20] 佐藤の「芥川賞—憤怒こそ愛の極点」は、このいきさつを、佐藤が頭の中で整理し、文章として表し、雑誌に掲載されて残ったものである。ドロイゼンが「人間による表象の形に移された」というのはこういう状況であり、「太宰の芥川賞懇願事件」という研究主題からみれば、佐藤の文章は、ドロイゼンの言う「史料」、ベルンハイムのいう「報告」、フェーダーの言う「陳述史料」である。

ところで、佐藤春夫がこのいきさつを文章にして公表したこと、それ自体もまた一つの出来事であり、文学史の研究対象となりうるだろう。これを「佐藤による太宰懇願公表事件」と呼ぶとすれば、佐藤の文章は、それ自体が「佐藤が太宰からの働きかけを公表した」という出来事そのものと結びついているから、佐藤の文章は、(「太宰の芥川賞懇願事件」という研究主題にとっては「報告」や「陳述史料」であったとしても)、「佐藤による太宰懇願公表事件」という研究主題にとっては「遺物」である。このように、何が「遺物」で、何が「報告」や「陳述史料」であるのかは、研究主題において、その史料がどのように用いられるかによって変化する。今井が、「史料の史料として使用される性質と、その物の全体的実際的性質」(三二頁)を混同してはならない、と強調しているのは、このような状況を指している。

本書で今井自身が挙げているのは書物の例であり、書物に記述されている文章を研究において利用するのか、それとも書物の歴史のなかで、どのような書物が、どのような形態で作られたか、という研究を遂行する上で利用するかで、史料としての性格は変わるはずだ、ということが述べられている（三一～三二頁）。これは上記の古典的な歴史研究方法論書が共通して述べているところを今井が整理した結果である。

歴史学には、ときに「「文書史料中心主義」と、史料の「第三者性」「客観性」に対する絶対視[21]」といったレッテル張りがなされることがある。しかし、多くの「転回」を経る前の古典的歴史学方法論においても、史料の持つ性格が研究主題によって変化すること、史料の性格は、単に出来事の当事者や、出来事の近くにいた者がその事件の当時に記したものだから優れた史料である、といった出来事と記録者の時間的・空間的近さによって決められるわけではなく、研究主題の立て方によって変化するのだという程度のことはすでに理解されていたのである。

このことは、本書の「四　史料批判」の末尾において、今井が、今井に先行する歴史学方法論書であり、今井の担当講座の先任者である坪井九馬《くめ》三《ぞう》が、『史学研究法[22]』において、史料を「一等」から「等外」に分類したことに異を唱えている点によく表れているだろう（六八～七三頁）。興味深いのは、今井が坪井の等級付けを批判する一方、返す刀で今井と同世代の西洋史家である大類伸《おおるいのぶる》の『史学概論[23]』における「等級別は史料そのものに存するのではなくして、研究者の頭脳に存せねばならぬ」という主張も批判していることである。ある研究主題にとってある史料が持つ意味は、史料そのものによって決まるわけでもなければ、研究者の「頭脳」によって決まるわけでもなく、今井の表現によれば「史料として採用され方」（七一頁）、つまり、「研究者の頭脳を離れて」も存在する研究主題と史料の関係によって決まるのである。

この程度のことであれば古典的歴史学方法論がすでに指摘していたことをどのように考えるかは人によってさまざまであろう。この程度はしょせんその程度かもしれない。ただ、少なくとも一九世紀以来、歴史学者は「史料の「第三者性」「客観性」に対する絶対視」というような態度で研究に臨んでいたわけではなかったことは記憶しておくに値することではある。また、日本の歴史学界ないし教育の場で多用される割には意味の明瞭でない「一次史料」なる用語についても、坪井の史料等級づけと、それに対する大類、今井らの批判を念頭におけば、その使用に際していま一度の反省が必要であるかもしれない。[24]なお、大類伸の『史学概論』と本書との観点の相違は、本書の性格を考える上で重要な点なので次節でもう一度立ち返る。

「三　史料学」の章の説明が長くなってしまったが、「四　史料批判」では、ここまでで論じられてきたような史料の情報をどのように使用するか、その情報の検討の仕方が、これもベルンハイム以来の伝統にしたがって「外的批判」「内的批判」に分かたれて説明される。続く「五　綜合」では、史料を用いて、どのように過去の出来事を復元するかの手法が解説されている。伝統的歴史学のまさに「伝統芸」に属する部分であろう。

「綜合」の最後には「歴史的聯関の構成」と「歴史的意義の把握」が置かれている。この部分で今井は、古代史研究者エドワルト・マイヤー（彼もまた、その業績よりもマックス・ヴェーバーの批判の対象となったことによってより知られているであろう、「古典的な」歴史学者である）[25]の言をひきつつ、今井は「一の時代は常にその時代のもつ歴史的意義の把握があり、従って人間の意識する歴史は時代の進みとともに変化する」（九二頁）と述べる。これもまた、この程度のことなら古典的歴史学方法論書に書いてあることがらに属するかもしれない。

本書の最大の特徴は最後の「六　方法的作業の一例　――天文年間塩尻峠の合戦――」で、ここまでに解説された観点・手法が実際に用いられ、天文一七（一五四八）年の武田信玄と小笠原長時との合戦に関する諸史料の分析、事実確定の作業が行われる様を提示していることである。直接的にはこの題材選択は、本書の原型が、『岩波講座日本歴史』の一冊として刊行されたという事情にもとづく。より具体的には、塩尻峠の合戦が選ばれたことは今井の故郷の近傍地点であり、また今井が郷土史編纂に深く関与していたことがこの題材選択の背景にある。しかし、この点はより踏み込んで検討する必要がある。つまり、今井自身にも、また今井を取り巻く当時の日本の歴史学の状況にも、そもそも日本歴史の講座に、西洋史家である今井が方法論を執筆するだけの理由があったのである。そのために、本書で叙述されている方法論が、日本の史学史においてどのように位置付けられるものなのかを見ておきたい。

四　『歴史学研究法』の史学史的背景――「史学概論」講義・社会経済史・文化史

西洋歴史学の方法が、日本において本格的に歴史研究へ導入されたのは、帝国大学文科大学に史学科が設置され、ドイツ人のお雇い外国人ルートヴィヒ・リースが講師として着任した一八八七年のことである。リースの担当科目の一つに歴史学方法論の講義があった[26]。

一八九三年、講座制が導入されると、「史学・地理学」に二講座が割り当てられた。第一講座を担当したのがヨーロッパ留学から帰国した坪井九馬三であり、第二講座担当はリースであったが、お雇い外国人のリースは正式には講座担当者となれなかったため、形式的には空席とされた。一九〇二年にリースはドイツに帰国する[27]。

坪井九馬三もまた、東京帝国大学で「史学研究法」（一九一〇年以降「史学概論」）という方法論の科目を担当した。これは分野に限らず歴史学を専攻する学生の必修科目であった。一九一八年の講座改変により、「西洋史講座」は独立して二講座となったが、坪井担当の講座は、事実上西洋史学の講座であるが、名称としては「史学・地理学講座」として残り、史学概論を担当する講座となった。これは坪井が「多年史学概論を講じ来つた関係によつたものであらう」というのが山中謙二の理解である。[28]

一九二三年、坪井の退官後に、この「史学・地理学講座」のポストについたのが今井登志喜であった。日本の歴史学の枠組みとして現在まで鞏固《きょうこ》に続く「日本史」「東洋史」「西洋史」の枠組みは、坪井の時代を通じて東京帝大では講座編成として固定されてゆくわけだが、今井はその後をうけて、日本史・東洋史・西洋史を専攻する学生の必修科目として、「史学概論」を担当することをその重要な職責として東京帝国大学に着任したのである。今井は、文学部長就任後も、演習と史学概論講義は担当し続けた[29]（なお、今日でも、東京大学文学部では「史学概論」は西洋史研究室所属教員の担当科目とされている）。

今井の史学概論講義については、受講生によるいくつかの回想がのこされている。古代ギリシア・ローマ史家で、一九三〇年に大学を卒業した（のち文学部の教員となる）村川堅太郎は、「先生の講義ぶりは決して流暢と言えるものではなかったが、時に皮肉やユーモアをまじえ、洋の東西の事例を引いて語られる史学概論は実に魅力的であり、私はこの必修の単位を一年のとき取っていたが二年目も拝聴した」と述べる。[30] 一九三五年の卒業生で、今井の門下生であり、のちに東京大学総長・参議院議員となるドイツ史家林健太郎は、「先生は体軀堂々として、またたいへん話が面白く、必須科目であった「史学概論」の講義では爆笑させられることも多かった[31]」と回想している。

本書が、東京帝国大学における「史学概論」講義をもとにしていることは疑いない。そのことは、当時、試験対策として販売されていた講義プリントの類からも裏付けられる。現在国立国会図書館には、昭和一〇（一九三五）年度の第一分冊（一〇月一二日講義まで）、昭和一二（一九三七）年度の全三分冊、昭和一三（一九三八）年度の第一分冊の三種の今井担当「史学概論」の講義プリントが所蔵されている。学生のノートをもとにした非公式刊行物であるから、その内容がそのまま講義の内容と一致するとは限らないが、少なくとも昭和一〇年度講義、一三年度講義については、残存する部分のその構成はほぼ『歴史学研究法』と同一である。やや異なる点をあげれば、昭和一〇年度講義では[32]、「補助学科」の部分で、古代エジプト文字や楔形文字の解読過程が図版入りで解説されている。一方、昭和一三年度講義[33]では、具体例は日本史から採られ、徳川家康が江戸に拠点を定めた際に、家臣内藤清成が著したと伝えられてきた日記「天正日記」が偽書であることを、他の史料と対照しながら示している（これは日本史学者田中義成が既に明らかにしていたことであ[34]り、今井は田中の著作を参考にしているものと思われる）。

昭和一〇年度講義は、本書の原型となる岩波講座版の刊行と同年の講義であるから、この前後の今井が、本書の構成に沿った講義をしていたことは確かである。また、両年の講義プリントの比較からは、骨格は変わらずとも、例として提示される素材は年ごとに異なっていた可能性があること、その素材は日本史から古代オリエント史までさまざまであったことがうかがわれる。村川の「洋の東西の事例を引いて」という回想はその通りであったのだろう。

一方、残されている分量的にもっとも多く、また上記二つの講義のあいだの時期にあたる昭和一二年度講義プリント[35]の内容は、他の二年度分や本書とかなり構成が異なる。もっとも、この講義プリントは決して質の良いものではなく、各所に学生の聞き逃しあるいは筆記漏れと思われる空欄が残っており、文章も意味の通じない箇所が多い。一応の節分けがなされているので、それを示せば以下のようになる。

§歴史の発生的考察

§歴史は繰返すと云ふ意義

§歴史の実用的意義

歴史学の学的性質

§自然科学及び其の研究法

自然科学の研究方法

自然科学の推理の法則

歴史学と法則

歴史価値の問題

一見して明らかな通り、本書のような史料論・史料批判・事実判定の技法に関する内容ではなく、歴史学の実用性や自然科学との関係、方法論といった歴史哲学的主題が扱われている。

冒頭に置かれた「歴史の発生的考察」の部分では、人類の歴史叙述が、「人間社会特有の物語に対する要求」から始まり、歴史に教訓を得ようとする「実用的歴史」が現れるとする。これは、おおむねベルンハイム『歴史とは何ぞや』の第一章第一節「史観の発達」に対応するものであるが、今井の述べていることは、ベルンハイムとかなり異なる。ベルンハイムが「物語風歴史」「教訓的あるいは実用的歴史」のあとに「発展的あるいは発生史的歴史」を置き、前二者は、学問としての「発展的あるいは発生史的歴史」によって乗り越えられる点を強調するのに対し、今井は、物語風歴史や実用的歴史の意義を否定せず、いわばその重層的併存を説いているように見えるのである。講義プリントには、「年長の人から面白い話を聞く、この時、この要求に応ぢる為諸民族に童話が生ずる。これは人間の本能的に持つ所の面白い事、珍しい事、好き心を満足させると云ふ事を求める心、子供の素朴の現はれとみられる」「物語がなければ我々の生活は成立たない」といった文章が見られる。今井自身「私は小さい時からお噺をきく事が好きだつたが、小学校時分には手当り次第家にあつた歴史物語の類の書物を乱読した（中略）史学史は歴史記述の第一段階を説話風歴史に置いて居るが私等は正しくそれを地で行つた格好であつた。」[36]と回想しており、今井がこの幼少期の体験をかなり重く見ていたことがうかがわれる。

「歴史は繰返す」や「歴史の実用的意義」、さらには自然科学と歴史学との性格の異同をあつかう後半も、ベルンハイムは過去のものとして扱っている「実用的歴史」の可能性にこだわった行論となっている。つまり、過去のある出来事の研究が、他の地域や時代、さらには歴史家が生きる現在の理解に資するかどうかという論点に今井はこだわっている。

この点を理解するためには、当時のヨーロッパ歴史学および日本の西洋史学が置かれていた状況を考えてみる必要がある。ランケ以降、ドイツの伝統的歴史学は、個別的なものを、一般化することなく個別のものとして叙述することを歴史学の課題としてきた[37]。こうした潮流と対応関係にあったのが、新カント派哲学、とりわけそのなかの西南ドイツ学派に属するヴィルヘルム・ヴィンデルバントの「法則定立的」な学問と「個性記述的」な学問の区別という考え方である。ヴィンデルバントは、自然科学が、普遍的な法則を探究するという点で「法則定立的」学問であると考えたのに対して、歴史学は、個別の事象と、それをとりまく個別の因果関係を研究対象とするという点で、「個性記述的」学問であり、その性格を異にすると考えた[38]。

一九世紀末、こうしたドイツ歴史学の主流に挑戦したのがカール・ランプレヒトである。ランプレヒトは、自然科学に範をとりつつ、経済史研究や社会心理学の知見に基づいた通史的研究によって、個人ではなく、ある集団を単位とした歴史に、法則を見出そうとした。しかし、これはドイツの歴史学主流からは全面的な批判を被る結果に終わった。[39]

一方、歴史研究は個別の対象への個別の記述にとどまるという理解のもとでは、ある特定対象に対する知見が他の対象に応用されることが極めて難しくなる。おそらく今井は、こうした「個性記述的」歴史学の応用範囲の狭さに納得していなかった。

今井は、歴史学のなかで西洋史学を選択した理由として、「文化的内容の非常に豊富な西洋史学がヒューマニズム的要求をみたすもののあるべき事を稚いながら考へた事」をあげている。そして、こうした態度は「プラグマチズム（実用主義）」に依ったものだったと述べる。そして、そうしたプラグマチズムは、時代遅れに見えても、「西洋史学から社会事象の見方を学んだ所が少くなくない[40]」という点で無意義ではなかったと、晩年の今井は回想している。

昭和一二年度講義プリントに戻ると、今井が、「実用的歴史」を過去のものとして捨て去ることに慎重であるのは、こうした今井の初志によるものと考えられるのではあるまいか。「歴史は繰返すと云ふ意義」の箇所には、古典古代の政体循環論から始まり、各種循環史観を紹介しつつ、単純な循環史観がもはや採用しえないとしても、「歴史は繰返すとはつまり歴史の中に多くの analogy が存在することの比喩的表現で、この限りに於てこの言には尚ほ意義を有すると云ひ得るのである」という文章が記されている。歴史から教訓が取り出せる前提には、何らかの意味で歴史的事象相互が「似ている」という認識がなければならない。それは単純な循環史観でないとしても、なんらかの意味での「アナロジー」の成立、つまり比較史の可能性に開かれていなければならない。個性記述に徹する歴史はこうした比較史の可能性を閉ざしてしまう。今井の問題意識はここにあったのではないか。

なぜ昭和一二年度講義プリントだけが他年度の今井の「史学概論」講義プリントないし『歴史学研究法』と異なるのかは判然としない。史料論―史料批判―綜合という概論の骨格はすでに固まっており、またすでに岩波講座版が公刊されていたので、一二年度講義プリントは、あえてそれに含まれない部分のみが筆記・印刷されたという可能性もある。もちろん、今井の講義が毎年同じものではなかった可能性も否定できない。今後、受講生の手による今井の講義ノートが発見されることを期待したい。

いずれにせよ、昭和一二年度講義プリントからは、『歴史学研究法』が、ドロイゼン、ベルンハイムに連なるドイツ古典歴史学方法論の再整理であるにもかかわらず、今井は本来、こうした古典的方法論だけで満足していたわけではなかったのであろうことが垣間見える。

そもそも今井の専門は社会史・経済史であり、社会経済史学会の創設にも関わっている。社会経済史は政治史中心のそれまでの日本の西洋史研究からみれば、新しい潮流であった。一方、今井の二歳年上で同じく東京帝大文学部で西洋史を学び、東北帝大教授となった大類伸は、ブルクハルトの影響のもと、ルネサンス文化史の研究に向かっていた。文化史もまた、当時の西洋史の新潮流であった。二人は、社会経済史と文化史という当時の「新しい」歴史学の動向をそれぞれ体現していたのである。[41]

既にふれた通り、大類伸も史学概論を著作として残している。その内容は今井と対照的である。大類の『史学概論』は次のように始まる。[42]

歴史家は理論に短である、或は全く理論を持つてゐない。併し此くあることが歴史家の誇りであるとさへ考えられてゐた時代があつた、かゝる時代の空気の

裡に我等の生長して来た、さうして今日までに約三十年に及んでゐる。併し我等は確かに時代の変つたことを深く感ぜざるを得ない

大類はこの本の冒頭で、「新しい歴史学」の時代の到来を宣言するのである。大類の『史学概論』では、「上篇　動的史観」で、ヘーゲルからクローチェにいたる歴史の発展に関する理論が解説され、「中篇　歴史認識の目標」では、特殊と普遍、法則性といった論点に触れつつ文化史の意義が説かれ、「下篇　歴史研究の実際的方法」のみが、今井の『歴史学研究法』に相当するいわゆる研究方法論の部分である。今井の著書に比べて歴史哲学的要素が強い。

大類の『史学概論』と今井の『歴史学研究法』を出版された書物として比べれば、たしかに、大類の『史学概論』には当時の動向を反映した「新しさ」がある。しかし、今井は大類が取り上げたような論点に無関心であったわけではまったくないことが、昭和一二年度講義プリントからはうかがえる。

ふたたび村川堅太郎の回想をひくと、村川が受講した「史学概論」の試験は次のようなものであったという。[43]

試験の前の週の講義のあとで「大変むづかしい題を出すから出来なくても諒解

運動に来てはいけない」と警告されたが、試験の当日黒板に「歴史学の現代性」と書かれて「なるべく私の言ったことと違うことを書くように」と註文された。

今井が、古典的歴史学方法論の内容のみを学んだだけでは不十分であると考えていたことを思わせるエピソードである。

おなじく受講生だった西洋史家・金澤誠（戦後に学習院大学教授）は、「今井先生になると西洋史の講義でも長野県がとび出す。たとえば古代ギリシアの文明に触れても、「ギリシアは海のある信州と想え」といった調子」であったと回想している[44]。なぜ今井が『歴史学研究法』において日本史の事例を採り上げているのか、初出媒体の性格以外の積極的な理由があるのではないかという問いに戻れば、今井は、西洋史の知見を、「アナロジー」を通じて日本史に適用することを念頭に置いていたことがその答えの一つであることは、ここまで紹介してきた諸事実に照らして明らかだと思う。次節では、本書で塩尻峠の合戦が取り上げられる背景となった『諏訪史』編纂事業について紹介してみたい。

なお、残念ながら、『歴史学研究法』からも、三種の講義プリントからも、学生を「爆笑」させたという今井の話術の巧みさは伝わってこない。やはり唯一、昭和一二年度講義プリントのなかで、戦争が、大抵の場合、利害を何らかの大義名分(「美名」)で覆って起こされることに触れている箇所で、注記のなかに「殊に例外として桃太郎の鬼ヶ島征伐をのみ挙げられると思ふ」と記載されている部分がある。爆笑に値するかどうかは読者の判断にゆだねたいが、この箇所がもし、この年に発生した日中戦争の開戦以降(盧溝橋事件は七月七日)の時期の講義に当たるとするならば、この「アナロジー」はそれなりに重大な意味を持つ「アナロジー」であった可能性を否定できないだろう。

四　日本史・郷土史と『歴史研究法』

本書の「六　方法的作業の一例」が塩尻峠の合戦に関する史料の分析に宛てられていることの背景には、今井の出身地が関係していることはすでに述べた。しかし、この主題は、単に故郷というだけではなく、この時期、大がかりな郷土史編纂事業『諏訪史』の編纂が進められていたこと、今井がこの事業に深くかかわっていたことと関係している。

『諏訪史』編纂事業は、諏訪教育会が発起したもので、一九一七年一二月に諏訪教育会が提案、翌年一月の諏訪郡会がその予算を可決したことでスタートした。編纂に当たっては、現地に「郡主任」、東京に「中央主任」という二人の主任が置かれた。郡主任を委嘱されたのは郡下の小学校教員を歴任した今井真樹、そして中央主任を委嘱されたのが、当時大学院修了後で定職のなかった三二歳の今井登志喜だった。編纂事業は、中央・郡主任のもとに編纂委員（小学校長・町村長など）―史料・学校調査委員―教職員という、学校を単位とする組織が実働部隊として組織され、史料調査などにあたった。執筆には、「顧問」と呼ばれた中央の学者があたり、顧問の選任は中央主任の今井登志喜がおこなった。[45]『諏訪史』第一巻（先史時代）の執筆にあたった考古学者・人類学者の鳥居龍蔵《たつぞう》は「最初諏訪史編纂東京主任の今井登志喜氏が態々私の宅に御出になつて、此の仕事に就ての御相談があつた[46]」、第二巻（諏訪神社史）を担当した神道史家、宮地直一《みやじなおかず》は「畏友今井文学士を介し[47]」とそれぞれ巻頭に記している。

近代日本のアカデミズム史学は、ある時期以降、郷土史の編纂と結びつき、それを束ねる役割を負うようになるが[48]、諏訪出身で中央の学界に身を置く今井の中央主任委嘱は、こうしたアカデミズム史学と郷土史の結合の一コマである。一九二五年からは、史料集『諏訪史料叢書』の刊行も始まった。

こうしてスタートした『諏訪史』刊行事業であるが、一九二四年に鳥居龍蔵執筆の第一巻が刊行されてのち、刊行は計画通りには進まず、一九三一年に宮地直一執筆の第二巻前編が、一九三七年におなじく宮地の手になる第二巻後編が刊行され、その後刊行が止まってしまった。中世をあつかう第三巻は、東京帝国大学史料編纂掛の史料編纂官・渡辺世祐《よすけ》が、徳富蘇峰《とくとみそほう》の『近世日本国民史』執筆の助手も務めていた高橋源一郎[49]に原稿を起草させる形で作業を進めていた。渡辺は戦前日本のアカデミズムを代表する日本中世史家の一人である。数十回にわたって諏訪に出張するなど、熱心にこの事業に取り組んだようであるが、現地の諏訪郡史編集委員会との原稿読み合わせで不十分とされたという。[50]結局、鎌倉時代から戦国時代までを扱う『諏訪史　第三巻』が刊行されたのは、今井登志喜の没後、一九五四年のことである（鎌倉時代は寶月圭吾《ほうげつ》が執筆）。江戸時代以降の諏訪をあつかう続刊には、一九二四年段階の計画では、今井登志喜が「江戸時代の諏訪」を執筆予定であったほか、大類伸、柳田国男らも執筆に参加する予定であったが、実現しなかった。[51]

さて、一九五四年に刊行された『諏訪史　第三巻』には、当然、『歴史学研究法』で扱われているのと同じ天文一七年の塩尻峠の合戦のことが述べられている。たとえば「壽齋記」の記述（本書九八〜一〇〇頁）について、『諏訪史　第三巻』も、『歴史学研究法』と同様、天文十七年七月十九日の武田晴信の波間右近進宛軍忠状（本書九七頁）や妙法寺記（本書九九頁）の記述を対置して、「壽齋記」に記された合戦の年月日、時刻の誤りを指摘しており、基本的な考証作業はほぼ一致している。[52]『諏訪史　第三巻』は、本書より後に出たものであるが、原稿自体はそれ以前に成立していたものであろう。塩尻峠の合戦に関する考証は、『諏訪史』編纂事業の一環として行われたと推測される。ただしこれは、渡辺世祐らの成果を今井が一方的に利用したという関係ではなかろう。郷土史家・小口珍彦の回想には、「かの天文十七年七月の武田対小笠原合戦の考証をなさるために、再三塩尻峠の頂上に泊られて夜明けの時刻や霧の様子などを観察され、古文献と照合されたことなども思い出の一つである」という記述がある。[53]本書の塩尻峠の合戦に関する考証は、今井自身を含む『諏訪史』編纂事業の成果に依拠したものと考えられよう。今井自身の筆になる信州をフィールドとした論考もあり、[54]今井は諏訪を中心とする信濃の歴史に深い関心を抱いていたのである。

そして、今井が研究対象としたのは故郷の歴史のみではない。西洋都市史研究の知見を日本に応用し、特に都市・江戸の研究をいくつか残している[55]。その際の視点は、昭和一二年講義プリントにみられる「アナロジー」の視点である。

今井の考え方は、一九二七年の講演記録、「国史に於ける西洋史学の応用[56]」によく示されている。今井によれば、西洋の歴史学の日本史研究への影響は、三つのレベルに分けて考えられるという。第一段階として、リースが「史学研究の方法」を教授したことにはじまる、方法論の移入である。これはまさに今井がリース以来の系譜をひく「史学概論」講座で実践してきたことでもあり、本書の内容そのものでもある。第二段階として、日本とヨーロッパとの関係史の研究が挙げられる。日本史上の出来事の理解が、西洋史を学び、国際環境を踏まえるとよりよく理解できることがあると今井は述べる。しかし、この二つの段階は、あくまで西洋史学の「利用」であって、西洋史学の「応用」ではないという。

それでは「応用」とは何か。それは、「社会と云ふものが発達して来る所の経路の中に於きましては、いろ〳〵の類似の点があると云ふ方面」である。

具体例として、今井はなぜ徳川家康は江戸を居城と定めたかという問いを立てる。その選択は、西洋の直接の影響ではあり得ないが、「向ふの変遷の法則から推して、類推して来て、此方の社会の変遷に当嵌て見てそこに何かの理論が出て来はしないか」と今井は考える。すなわち、ある歴史的段階において、政治的拠点が、山城から平地に移るという現象は、これは西洋にもみられる。これと同一の論理で、平地で交通の便の良い江戸が選定されたという理由は説明できる。西洋でも、近世に山城から平地の都市に政治的拠点が移ったように、日本でも戦国時代が終わるにつれて、各地で政治的拠点が平野部に選定されるようになる。ここには、日欧間で「同じやうな変り方」があり、「さう云ふ意味からして江戸の選定と云ふものは説明されてくるかと考へるのであります」というのである。

その当否は別として、この発想は、単に「個性記述的」な歴史学では不可能である。今井が、歴史において一定の法則性、「アナロジー」の可能性を念頭においていたからこそ、こうした比較史的発想が生まれてくる。今井がドイツ伝統歴史学の方法論を概説する本書において、具体的事例を日本の素材に求めた最深部の理由は、おそらくそこにある。

私たちはここで、二〇世紀前半を生きた歴史家、今井登志喜にとって西洋史研究とは何だったのだろうかという問いにゆきあたる。これまで部分的に引用してきた今井の回想を、長文にわたるが改めてここで提示してみたい。

　私がその頃読んだのは多くは国史関係ものであつた。国史に趣味があつたのは当然で、研究の便宜もそこにある事は明白であつた。しかし文化的内容の非常に豊富な西洋史学がヒューマニズム的要求をみたすもののあるべき事を稚いながら考へた事が私の史学科の中で西洋史学を選んだ理由であつたといへるであらう。日本に居て西洋の歴史を本格的に研究するのはどうせロクな事は出来ない。セイ〴〵西洋の研究家の糟粕を嘗めるに過ぎないと聞かされた。しかし私はその頃考へた。いいもの、の糟粕の方がツマラヌホン物よりい、ではないか、自分を賢くし又世の中をよくするものである事が肝要だ[57]

　私は日本史を専門とする研究者だが、日本の西洋史研究者は西洋の研究者の「糟《そう》粕《はく》」（残りかす）を嘗《な》めるに過ぎないのではないかという悩み、そしてそれを峻拒し、現地の研究者に伍して認められるだけの研究成果を現地語ないし英語で発信しなければならないという決意を、私自身の同時代の西洋史家から、少なからず聞いてきた。[58] それゆえ、そうした現代の日本の西洋史研究者にとって、「自分を賢くし又世の中をよくするものである事が肝要だ」という今井の言が、典型的な、かつての、「日本の西洋史」研究者の開き直りに聞こえるだろうことも知っている。この回想のなかで今井自身が認めているように「ヒューマニズム」を学ぶために西洋を学ぶというのが、大正期の教養主義に顕著にみられる姿勢であり、また露骨な西洋中心主義であることも知っている。今井の比較史はどこまでも日欧比較史であり、それ以外の諸地域は視野にはいらない。グローバル・ヒストリーが研究の標準とされる今日から見れば、その程度の比較史である。

それでも、なお、専門家どうしのアリーナで評価を勝ち取ることより、「自分を賢くし又世の中をよくするものである事」のほうが重要だという今井の言を、私は棄却することはできない。[59]

今井の回想に、日本中世史家、寶月圭吾の回想を対置してみたい。東京大学史料編纂所史料編纂官を経て、戦後、東京大学文学部国史学研究室の教授となった人物である。[60] 彼もまた長野県の出身であり、『諏訪史』の執筆に関与したことはすでに述べた。一九二七年、東京大学文学部国史学科に入学した寶月は、今井の「史学概論」の講義を受講している。これも長文となるが敢えて引用したい[61]。

とりわけ史学概論の講壇からは、方法論的な立場から、先生独特の諷刺に富んだ表現を以つてなされたあらゆる問題に対する批判は、我々に大きな影響を与えたのであるが、就中未だ萌芽に過ぎなかったとは云へ、軍国主義的な国史学の一つの傾向に対しての批判は、何か私の心の奥底に響きわたるものがあつた。日頃怠惰な私も今井先生の史学概論の教室にはよく出席した。それはたしかに郷党の先輩としての今井先生に対する親しみからでもあつたが、もう一つの原因は、実はこうした批判の言葉に触れたい気持ちからでもあつた。だから、忙しくノートをとる友人達の間に居て、私は、筆をおいて先生の言葉に耳を傾けてゐたことも多かつた。従つて史学概論として体系的に理解したものは何もなく、私の頭の隅に残つたのは、僅かに耳からはいつたベルンハイムだとかランケだとか独乙の史学者の名前位なものであつた。かくして試験の時になつて、極度に後悔し、狼狽した私は友人のノートで急場の準備をしたが、その結果の散々であつたことは勿論である。私は卒業後先生に平素の怠慢をお詫びし、史学概論の講義については何物も覚えてゐない事を告白した時、先生は例の調子で大笑されたあげく、「それでいいんだ、それでいいんだ」と繰返された。それからは、名講義史学概論の教室の隅に席を占めながら、学問として何物も学ばなかったけれども、講義の間に屢々さしはさまれた諷刺に満ちた先生独特の批判に耳を傾けてゐたことに対し、今では後悔を感ずることなしに、先生が云はれた通り、「それでいいんだ」と思つてゐる。

寶月の学部生時代は、国粋主義的歴史観を鼓吹する平泉澄《きよし》が国史学研究室を支配した時期とは重なっていない。寶月が「未だ萌芽に過ぎなかったとは云へ」という留保をつけているのはそのためである。しかし、すでに「萌芽」として存在したそうした傾向を、寶月も今井も敏感に感じ取っていたのであろう。そして、結局のところ、おそらくは本書の内容に沿って語られた西洋由来の歴史学方法論は、のちの日本古文書学の泰斗、寶月圭吾にとっても、「体系的」にはわからなかった。しかし、寶月が今井から受け取ったものはそれだけではなかった。そのうえで、両者は「それでいいんだ」と納得したのだった。こうした両者の関係は、今井の、学問においては、「自分を賢くし又世の中をよくするものである事」こそ肝要だという姿勢がなければ成り立たなかったのではないか。

今井の主要業績は、今日のイギリス史・ヨーロッパ史研究の水準からみれば、そのほとんどが先行研究としてさえ言及するに値しないものだろう。今井は、たしかにヒューマニストで自由主義者であったに違いないが、アジア・太平洋戦争期の東京帝国大学文学部長であり、「抵抗する歴史家」であったわけではまったくない。むしろ平賀粛学の際に見せた態度のように、今井は調整型の大学人であった。今井の「自分を賢くする」「世の中をよくする」もまた、「その程度」であったかもしれない。

その程度を、どの程度だと見積もるのかは、やはり読者の判断にゆだねられているだろう。どのような判断を下したとしても、おそらく今井は、その教え子たちの多くが回想する温顔をもって、「それでいいんだ」と笑って受け入れるに違いない。

（まつざわ・ゆうさく　慶應義塾大学教授）

1　ジョー・グルディ、D・アーミテイジ（平田雅博・細川道久訳）『これが歴史だ！ 21世紀の歴史学宣言』（刀水書房、二〇一七年）六九頁、一三七頁。
2　桃木至朗『市民のための歴史学　――テーマ・考え方・歴史像』（大阪大学出版会、二〇二二年）、三二七頁。
3　E・H・カー（近藤和彦訳）『歴史とは何か　新版』（岩波書店、二〇二二年）、七頁。
4　邦訳は書籍化されていないが、小林秀雄訳「史学研究法」（『史苑』一―一～一四―四、一九二八～一九四二年）が存在する。訳者小林秀雄は立教大学教授で初代史学科長。評論家の小林秀雄とは別人物。小澤実「小林秀雄の時代――戦前戦中の立教史学科、史学会、『史苑』」（小澤実・佐藤雄基編『史学科の比較史――歴史学の制度化と近代日本』、勉誠出版、二〇二二年、所収）。
5　E・ベルンハイム（坂口昂・小野鉄二訳）『歴史とは何ぞや』（岩波文庫、一九三五年）。
6　C・セニョボス、C・V・ラングロア（八本木浄訳）『歴史学研究入門』（校倉書房、一九八九年）。
7　以下、今井の履歴については、特記しない限り、林健太郎『今井登志喜』（諏訪史談会、一九八四年）による。

8 山中謙二「今井さんを憶ふ」（『信濃』昭和二五年六月号、「今井登志喜・牛山秀樹両先生追悼号」一九五〇年）。

9 辰野隆「今井登志喜君逝く」（『信濃』昭和二五年六月号、「今井登志喜・牛山秀樹両先生追悼号」一九五〇年）。

10 今井登志喜「明治末の学生」（『若き日の軌跡――私の学生の頃　第二集』、学生書房、一九四八年、所収）。

11 今井、注10前掲史料。

12 林、注7前掲書。

13 今井登志喜『英国社会史』（東京大学協同組合出版部、一九四八年）。

14 城戸毅「解題」（『新装版　英国社会史　下』、東京大学出版会、二〇〇一年）。

15 今井登志喜『近世における繁栄中心の移動』（誠文堂新光社、一九五〇年）。のちに、『都市の発達史――近世における繁栄中心の移動』と改題され、同社から新版が発行（一九八〇年）。

16 今井登志喜『都市発達史研究』（東京大学出版部、一九五一年）。

17 厳密に言えば、ランケの後続世代であるドロイゼンは、一般的に、ランケの影響をうけつつも、ランケの非政治性に批判的な「プロイセン学派」に属するとされる。また、ベルンハイムもランケやドロイゼンと同一線上の歴史家として理解してよいかについては疑問がある。これらの点については、G・P・グーチ（林健太郎・林孝子訳）『十九世紀の歴史と歴史家たち』（上・下、筑摩書房、一九七一、七四年）、岸田達也『ドイツ史学思想史研究』（ミネルヴァ書房、一九七六年）を参照。ただし、その方法論の構造において、のちに述べるようにドロイゼンとベルンハイムの継承関係は明らかであり、その点では今井の評価は妥当である。

18 Droysen, J. G., *Grundriss der Historik*, Leipzig, 1868, S14.

19 前近代日本を対象とした歴史研究においては、これに近いものとして「古文書」と「古記録」という区別がある。古文書とは、「「特定の対象に伝達する意思をもってするところの意思表示の所産」、すなわち甲から乙という特定の者に対して、甲の意思を表明するために作成された意思表示手段」（佐藤進一『新版　古文書学入門』、法政大学出版会、一九九七年、一頁）と定義される。これに対し、「古記録」は一般的には日記を指す。詳述する余裕はないが、この区別は、ドイツ古典歴史学方法論書での「遺物」「報告」の区別に近いが、今井がここで展開しているように、歴史家による研究上の使用の観点を含まず、史料そのものを区別する点において、やや視角を異にしている。

20 以上の経緯は、辻本雄一監修・河野龍也編著『佐藤春夫読本』(勉誠出版、二〇一五年)による。

21 上野千鶴子『ナショナリズムとジェンダー』(青土社、一九九八年)、一五五頁。

22 坪井九馬三『改訂増補　史学研究法』(京文社、一九二六年)。

23 大類伸『史学概論』(共立社、一九三二年)。

24 最近では、政治思想史家の河野有理が、「史料のn次性」は研究目的によって可変的であることに注意を促している。河野有理「日本政治思想史――用法用量を守って正しくお使いください」(松沢裕作・高嶋修一編『日本近・現代史研究入門』、岩波書店、二〇二二年)。

25 エドワルト・マイヤー、マックス・ウェーバー(森岡弘通訳)『歴史は科学か』(みすず書房、一九六五年)。

26 マーガレット・メール(千葉功・松沢裕作訳者代表)『歴史と国家――19世紀日本のナショナル・アイデンティティと学問』(東京大学出版会、二〇一七年)。

27 『東京帝国大学五十年史』(東京帝国大学、一九三二年)。

28 『東京帝国大学学術大鑑　総説・文学部』(東京帝国大学、一九四二年)、三三二頁。

29　林、注7前掲書。
30　村川堅太郎「今井登志喜先生」（『信濃教育』一一三九、「特集　今井登志喜の人と思想」、一九八一年）。
31　林健太郎「大学の恩師」（『わが師わが旅』、KTC中央出版、一九九六年、所収）。
32　今井登志喜講述『史学概論　第1分冊』（東京プリント刊行会、一九三五年）。
33　『史学概論　今井先生講義プリント　1』（帝大プリント聯盟、一九三八年）。
34　田中義成『豊臣時代史』（明治書院、一九二五年）、二六九〜二七六頁。
35　今井登志喜講述『史学概論』第1分冊〜第3分冊（東京プリント刊行会、一九三七年）。
36　今井、注10前掲史料。
37　村岡晳『レーオポルト・フォン・ランケ——歴史と政治』（創文社、一九八三年）。
38　ヴィンデルバント（篠田英雄訳）『歴史と自然科学・道徳の原理に就て・聖』（岩波文庫、一九二九年）。
39　ランプレヒトと、彼が引き起こした論争については、さしあたり林健太郎『史学概論（新版）』（有斐閣、一九七〇年）を参照。
40　今井、注10前掲史料。

41 土肥恒之『西洋史学の先駆者たち』（中公叢書、二〇一二年）。
42 大類、注23前掲書、一頁。
43 村川、注30前掲史料。
44 金澤誠「今井登志喜先生を偲んで」（『信濃教育』一一三九、「特集　今井登志喜の人と思想」、一九八一年）。
45 伊藤純郎「信州郷土研究事始め——柳田国男と諏訪史編纂事業」（『信濃』五七六、一九九八年）。
46 『諏訪史　第一巻』（信濃教育会諏訪部会、一九二四年）、一頁。
47 『諏訪史　第二巻　前編』（信濃教育会諏訪部会、一九三一年）、一頁。
48 廣木尚『アカデミズム史学の危機と復権』（思文閣出版、二〇二二年）。
49 井上昌彦『日本人物伝』（戊辰出版社、一九二九年）、二七三頁。なお、高橋は東京府編『東京府民政史料』（東京府、一九二〇年）を東京府嘱託として編纂しており、その際の校閲を渡辺世祐が担当している。
50 伊藤、注45前掲論文。
51 伊藤、注45前掲論文。
52 『諏訪史　第三巻』（諏訪教育会、一九五四年）、三一一〜三一三頁。

53 小口珍彦「今井登志喜先生のことども」(『信濃』昭和二五年六月号「今井登志喜・牛山秀樹両先生追悼号」一九五〇年)。

54 今井登志喜「上代の東山道御坂より碓氷迄の駅路」(『歴史地理』五八―二、一九三一年)。

55 今井、注16前掲書に所収。

56 今井登志喜「国史に於ける西洋史学の応用」(『國學院雑誌』三三―四、一九二七年)。

57 今井、注10前掲史料。

58 先駆的にそれをのべたのが、高山博『ハード・アカデミズムの時代』(講談社、一九九八年)。

59 なお、今井は文学博士号を請求せず、生涯を文学士で終えた。

60「寶月圭吾先生略年譜・著作目録」(『信濃』四五九、一九八八年)。

61 寶月圭吾「今井登志喜・牛山秀樹両先生の憶出」(『信濃』昭和二五年六月号、「今井登志喜・牛山秀樹両先生追悼号」一九五〇年)。

本書は一九九一年一月、東京大学出版会より刊行された。

戦国乱世を生きる力　神田千里

土一揆から宗教、天下人の在り方まで、この時代の現象はすべて民衆の姿と切り離せない。「乱世の真の主役としての民衆」に焦点をあてた戦国時代史。

三八式歩兵銃　加登川幸太郎

旅順の堅塁を白襷隊が突撃した時、特攻兵が敵艦に突入した時、日本陸軍は何をしたのであったか。元陸軍将校による渾身の興亡全史。（一ノ瀬俊也）

わたしの城下町　木下直之

攻防の要である城は、明治以降、新たな価値を担い、日本人の心の拠り所として生き延びる。城と城のようなものを歩く著者の主著、ついに文庫に！

東京の下層社会　紀田順一郎

性急な近代化の陰で生みだされた都市の下層民。落伍者として捨て去られた彼らの実態に迫り、日本人の人間観の歪みを焙りだす。（長山靖生）

独立自尊　北岡伸一

国家の発展に必要なものとは何か――。福沢諭吉は生涯をかけてこの課題に挑んだ。今こそ振り返るべき思想を明らかにした画期的福沢伝。（細谷雄一）

賤民とは何か　喜田貞吉

非人、河原者、乞胸、奴婢、声聞師……。差別と被差別の根源的構造を歴史的に考察する賤民研究の決定版。『賤民概説』他六篇収録。（塩見鮮一郎）

増補 絵画史料で歴史を読む　黒田日出男

歴史学は文献研究だけではない。絵巻・曼荼羅・肖像画など過去の絵画を史料として読み解き、斬新な手法で日本史を掘り下げた一冊。（三浦篤）

滞日十年（上）　ジョセフ・C・グルー　石川欣一訳

日米開戦にいたるまでの激動の十年、どのような外交交渉が行われたのか。駐日アメリカ大使による貴重な記録。上巻は１９３２年から１９３９年まで。

滞日十年（下）　ジョセフ・C・グルー　石川欣一訳

知日派の駐日大使グルーは日米開戦の回避に奔走。下巻は、ついに日米が戦端を開き、１９４２年、戦時交換船で帰国するまでの迫真の記録。（保阪正康）

荘園の人々 工藤敬一

人々のドラマを通して荘園の実態を解き明かした画期的な入門書。日本の社会構造の根幹を形作った制度を、すっきり理解する。（高橋典幸）

東京裁判 幻の弁護側資料 小堀桂一郎編

我々は東京裁判の真実を知っているのか？ 準備されたものの未提出に終わった膨大な裁判資料から18篇を精選。緻密な解説とともに裁判の虚構に迫る。

一揆の原理 呉座勇一

虐げられた民衆たちの決死の抵抗として語られてきた一揆。だがそれは戦後歴史学が生んだ幻想にすぎない。これまでの通俗的理解を覆す痛快な一揆論！

甲陽軍鑑 佐藤正英校訂・訳

武田信玄と甲州武士団の思想と行動の集大成。大部から、山本勘助の物語や川中島の合戦など、その白眉を収録。新校訂の原文に現代語訳を付す。

機関銃下の首相官邸 迫水久常

二・二六事件では叛乱軍を欺いて岡田首相を救出し、終戦時には鈴木首相を支えた著者が明かす、天皇・軍部・内閣をめぐる迫真の秘話記録。（井上寿一）

増補 八月十五日の神話 佐藤卓己

ポツダム宣言を受諾した「八月十四日」や降伏文書に調印した「九月二日」でなく、「終戦」はなぜ「八月十五日」なのか。「戦後」の起点の謎を解く。

日本商人の源流 佐々木銀弥

第一人者による日本商業史入門。律令制に端を発する供御人や駕輿丁から戦国時代の豪商までを一望し、日本経済の形成を時系列でたどる。（中島圭一）

考古学と古代史のあいだ 白石太一郎

巨大古墳、倭国、卑弥呼。多くの謎につつまれた日本の古代。考古学と古代史学の交差する視点からその謎を解明するスリリングな論考。（森下章司）

江戸はこうして造られた 鈴木理生

家康江戸入り後の百年間は謎に包まれている。海岸部へ進出し、河川や自然地形をたくみに生かした都市の草創期を復原する。（野口武彦）

増補 革命的な、あまりに革命的な 絓《すが》秀実

「一九六八年の革命は「勝利」し続けている」とは何を意味するのか。ニューレフトの諸潮流を丹念に跡づけた批評家の主著、増補文庫化！（王寺賢太）

考古学はどんな学問か 鈴木公雄

物的証拠から過去の行為を復元する考古学は時に歴史的通説をも覆す。犯罪捜査さながらにスリリングな学問の魅力を味わう最高の入門書。（櫻井準也）

戦国の城を歩く 千田嘉博

室町時代の館から戦国の山城へ、そして信長の安土城へ。城跡を歩いて、その形の変化を読み、新しい中世の歴史像に迫る。（小島道裕）

性愛の日本中世 田中貴子

稚児を愛した僧侶、「愛法」を求めて稲荷山にもうでる貴族の姫君。中世の性愛信仰・説話を介して、日本のエロスの歴史を覗く。（川村邦光）

琉球の時代 高良倉吉

いまだ多くの謎に包まれた古琉球王国。成立の秘密や、壮大な交易ルートにより花開いた独特の文化を探り、悲劇と栄光の歴史ドラマに迫る。（与那原恵）

博徒の幕末維新 高橋敏

黒船来航の動乱期、アウトローたちが歴史の表舞台に躍り出てくる。虚実を腑分けし、稗史を歴史の中に位置付けなおした記念碑的労作。（鹿島茂）

朝鮮銀行 多田井喜生

植民地政策のもと設立された朝鮮銀行。その銀行券等の発行により、日本は内地経済破綻を防ぎつつ軍費調達ができた。隠れた実態を描く。（板谷敏彦）

百姓の江戸時代 田中圭一

百姓たちは自らの土地を所有し、織物や酒を生産・販売していた——庶民の活力にみちた前期資本主義社会として、江戸時代を読み直す。（荒木田岳）

近代日本とアジア 坂野潤治

近代日本外交は、脱亜論とアジア主義の対立構図により描かれてきた。そうした理解が虚像であることを精緻な史料読解で暴いた記念碑的論考。（苅部直）

日本大空襲　原田良次

帝都防衛を担った兵士がひそかに綴った日記。各地の空爆被害、斃れゆく戦友への思い、そして国への疑念……空襲の実像を示す第一級資料。（吉田裕）

陸軍将校の教育社会史（上）　広田照幸

戦時体制を支えた精神構造は、「滅私奉公」ではなく「活私奉公」だった。第19回サントリー学芸賞を受賞した歴史社会学の金字塔、待望の文庫化！

陸軍将校の教育社会史（下）　広田照幸

陸軍将校とは、いったいいかなる人びとだったのか。前提とされていた「内面化」の図式を覆し、「教育社会史」という研究領域を切り拓いた傑作。

餓死《うえじに》した英霊たち　藤原彰

第二次大戦で死没した日本兵の大半は飢餓や栄養失調によるものだった。彼らのあまりに悲惨な最期を詳述し、その責任を問う告発の書。（一ノ瀬俊也）

城と隠物の戦国誌　藤木久志

村に戦争がくる！　そのとき村人たちはどのような対策をとっていたか。命と財産を守るため知恵を結集した戦国時代のサバイバル術に迫る。（千田嘉博）

裏社会の日本史　フィリップ・ポンス　安永愛訳

中世における賤民から現代社会の経済的弱者まで、また江戸の博徒や義賊から近代以降のやくざまで――フランス知識人が描いた貧困と犯罪の裏日本史。

古代の朱　松田壽男

古代の赤色顔料、丹砂。地名から産地を探ると同時に古代史が浮き彫りにされる。標題論考に、「即身佛の秘密」、自叙伝「学問と私」を併録。

江戸　食の歳時記　松下幸子

季節感のなくなった日本の食卓。今こそ江戸に学んで四季折々の食を楽しみませんか？　江戸料理研究の第一人者による人気連載を初書籍化。（飯野亮一）

古代の鉄と神々　真弓常忠

弥生時代の稲作にはすでに鉄が使われていた！　原型を遺さないその鉄文化の痕跡を神話・祭祀に求め、古代史の謎を解き明かす。（上垣外憲一）

ユダヤ人の起源
シュロモー・サンド
高橋武智監訳
佐々木康之/木村高子訳
〈ユダヤ人〉はいかなる経緯をもって成立したのか。歴史記述の精緻な検証によって実像に迫り、そのアイデンティティを根本から問う画期的試論。

中国史談集
澤田瑞穂
皇帝、彫青、男色、刑罰、宗教結社など中国裏面史を彩った人物や事件を中国文学の碩学が独自の視点で解き明かす。怪力乱「神」をあえて語る！（堀誠）

ヨーロッパとイスラーム世界
R・W・サザン
鈴木利章訳
〈無知〉から〈洞察〉へ。キリスト教文明とイスラーム文明との関係を西洋中世にまで遡って考察し、読者に歴史的見通しを与える名講義。（山本芳久）

消費社会の誕生
ジョオン・サースク
三好洋子訳
グローバル経済は近世イギリスの新規起業が生み出した！　産業が多様化し雇用と消費が拡大する産業革命前夜を活写した名著を文庫化。（山本浩司）

図説　探検地図の歴史
R・A・スケルトン
増田義郎/信岡奈生訳
世界はいかに〈発見〉されていったか。人類の知が全地球を覆っていく地理的発見の歴史を、時代ごとの地図に沿って描き出す。貴重図版二〇〇点以上。

レストランの誕生
レベッカ・L・スパング
小林正巳訳
革命期、突如パリに現れたレストラン。なぜ生まれ、なぜ人気のスポットとなったのか？　その秘密を膨大な史料から複合的に描き出す。（関口涼子）

ブラッドランド（上）
ティモシー・スナイダー
布施由紀子訳
ウクライナ、ポーランド、ベラルーシ、バルト三国。西側諸国とロシアに挟まれた地で起こった未曾有の惨劇。知られざる歴史を暴く世界的ベストセラー。

ブラッドランド（下）
ティモシー・スナイダー
布施由紀子訳
民間人死者一四〇〇万。その事実は冷戦下で隠蔽され、さらなる悲劇をもたらした――。圧倒的讃辞を集めた大著、新版あとがきを付して待望の文庫化。

同時代史
タキトゥス
國原吉之助訳
古代ローマの暴帝ネロ自殺のあと内乱が勃発。絡みあう人間ドラマ、陰謀、凄まじい政争を、臨場感あふれる鮮やかな描写で展開した大古典。（本村凌二）

ちくま学芸文庫

歴史学研究法《れきしがくけんきゅうほう》

二〇二三年六月十日　第一刷発行

著　者　今井登志喜（いまい・としき）

発行者　喜入冬子

発行所　株式会社　筑摩書房
東京都台東区蔵前二―五―三　〒一一一―八七五五
電話番号　〇三―五六八七―二六〇一（代表）

装幀者　安野光雅

印刷所　大日本法令印刷株式会社

製本所　株式会社積信堂

ISBN978-4-480-51067-9 C0120